子平八字命理

林國雄

圓方立極

「天圓地方」是傳統中國的宇宙觀，象徵天地萬物，及其背後任運自然、生生不息、無窮無盡之大道。早在魏晉南北朝時代，何晏、王弼等名士更開創了清談玄學之先河，主旨在於透過思辨及辯論以探求天地萬物之道，當時是以《老子》、《莊子》、《易經》這三部著作為主，號稱「三玄」。東晉以後因為佛學的流行，佛法便也融匯在玄學中。故知，古代玄學實在是探索人生智慧及天地萬物之道的大學問。

可惜，近代之所謂玄學，卻被誤認為只局限於「山醫卜命相」五術及民間對鬼神的迷信，故坊間便泛濫各式各樣導人迷信之玄學書籍，而原來玄學作為探索人生智慧及天地萬物之道的本質便完全被遺忘了。

有見及此，我們成立了「圓方出版社」（簡稱「圓方」）。《孟子》曰：「不以規矩、不成方圓」。所以，「圓方」的宗旨，是以「破除迷信、重人生智慧」為規，藉以撥亂反正，回復玄學作為智慧之學的光芒；以「重理性、重科學精神」為矩，希望能帶領玄學進入一個新紀元。「破除迷信、重人生智慧」即「圓而神」，「重理性、重科學精神」即「方以智」，既圓且方，故名「圓方」。

出版方面，「圓方」擬定四個系列如下：

1.「智慧經典系列」：讓經典因智慧而傳世；讓智慧因經典而普傳。

2.「生活智慧系列」：藉生活智慧，破除迷信；藉破除迷信，活出生活智慧。

3.「五術研究系列」：用理性及科學精神研究玄學；以研究玄學體驗理性、科學精神。

4.「流年運程系列」：「不離日夜尋常用，方為無上妙法門。」不帶迷信的流年運程書，能導人向善、積極樂觀、得失隨順，即是以智慧趨吉避凶之大道理。

在未來，「圓方」將會成立「正玄會」，藉以集結一群熱愛「破除迷信、重人生智慧」及「重理性、重科學精神」這種新玄學的有識之士，並效法古人「清談玄學」之風，藉以把玄學帶進理性及科學化的研究態度，更可廣納新的玄學研究家，集思廣益，使玄學有另一突破。

自序

一直以來，我都有一個心願，就是希望每一個人都懂得看八字。並不是要人人做「玄學家」，但起碼應該知道自己的生辰八字是什麼。「命理學」並沒有什麼神秘，亦一點也不難學習，它只是你的出生年、月、日、時的另類演繹方式。

把「看八字」或「研究命理」看成是迷信、騙術，其實是一種誤解。無可否認，良莠不齊，在玄學界裏確實有用八字去騙人的不良分子。說什麼替你改運（改變命運），而騙你的金錢。為防受騙，最佳的辦法就是去學習，學懂子平八字命理學，自己掌握命運。

在我國遠古時代，已經有算命術，至五代宋初，徐子平繼承和完善前人的算命術，運用人的出生年、月、日、時，轉換成天干地支共八個字去算命，所以叫做子平八字命理。

八字命理學是推算人類命運的其中一種方法。為什麼八字命理學能推算出命運的吉凶？是因為宇宙星體的運行影響着人的吉凶，而這種力量稱為「磁場」。其實每一個人都具有一個「磁場」。宇宙星體的運行所產生的「磁場」，又影響着每一個人本身的「磁場」，於是出現了吉凶。在八字命理學裏，這個「磁場」稱為「五行」，就是金、木、水、火、土。從人類在初生時感受到的「磁場」強弱的程度便可看出他對金、木、水、火、土的喜好或厭惡。假若能掌握五行的變化規律，就懂得推算命。八字命理學就是一套研究人生五行變化的學問。這套學問，並不涉及鬼神，它是一套「五行代號」的數理組合學問。什麼是「五行代號」？就是十個天干：甲、乙、丙、丁、戊、己、庚、辛、壬、癸和十二地支：子、丑、寅、卯、辰、巳、午、未、申、酉、戌、亥。

常言道：「一命、二運、三風水」；八字命理學告訴你什麼是「命」、什麼是「運」。通常分析八字的五行組合，確定你本身的磁場，再去找哪一種磁場：金、木、水、火抑或土是對你較有利，或哪一種對你有害。這就是「命」。

「運」，就是生命歷程中所要遇上的磁場（五行），當你遇上對你有利的磁場（五行），就叫行好運，當遇上對你有害的磁場（五行）就行衰運。

「運」是隨着時空而轉移的，斗轉星移，宇宙星體運行，就是出現不同的磁場（五行），而年、月、日、時，就是「時空」。

我這本書寫的就是「一命、二運」的學問。由入門至實例，由淺入深，由理論法則至實際應用。讀者們只要細心閱讀，就能夠學懂。

至於「風水」，是利用時空不同的方位磁場去達到趨吉避凶的目的。這種學問，可以在拙作《玄空飛星風水》中學得到。

時代在不斷進步，社會亦在變更，各種學問都應該更新。八字命理學是一門歷史悠久的學問，歷代名家輩出，巨著紛呈。各種命學著作都是時代的產物。單單是把古籍翻譯成語體文出版，讀的是過去的法則，看的是古人的命例，並不能適應新時代的需要，不能滿足讀者的要求，我在二十多年的玄學生涯裏，把八字命理學的基本原理和法則應用到現代社會，現代人的生活裏，推陳出新，從實踐裏得出新的啓示、新的法則。並且，經過長時間的實際印證，百發百中，效應驚人。只要你讀完這本書，你也能夠掌握這些新的法則，作出驚人的推算。

八字命理學是我國優秀的傳統學問。它們是命運學，也是社會學、哲學，是中華文化的一種驕傲。作為民族文化不應該有「不傳之秘」，我絕不贊成什麼門派秘笈不外傳，讓學問公開，讓每一個人都能學懂，都能夠掌握自己的命運，是我的希望，也是本書出版的目的。

林國雄

目錄

入門篇

五行

八字命理學運用的是五行的生和剋。

我們首先要知道五行是什麼。五行是：

金、木、水、火、土。

接着要了解和熟習五行的生和剋。

無論是生和剋都是一個循環，就是一個因果關係。

五行相生的關係：

木生火、火生土、土生金、金生水、水生木。

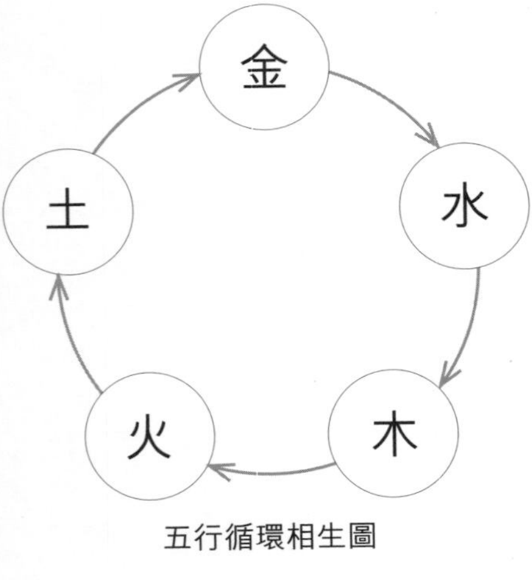

五行循環相生圖

五行相剋的關係：

木剋土、土剋水、水剋火、火剋金、金剋木。

世事都離不開因果循環關係，就像五行的生剋。

木生火……水又生木。

木剋土……土生出金來剋木。

五行的相生和相剋都不是單向的。你去生了一個五行出來，另一個五行會生你；你去剋一個五行，卻有另一個五行會剋你。

五行的相生不是絕對的：

木能生火，但是木過多則火晦；同理，

火能生土，火過烈則土焦；

土能生金，土過重則金埋；

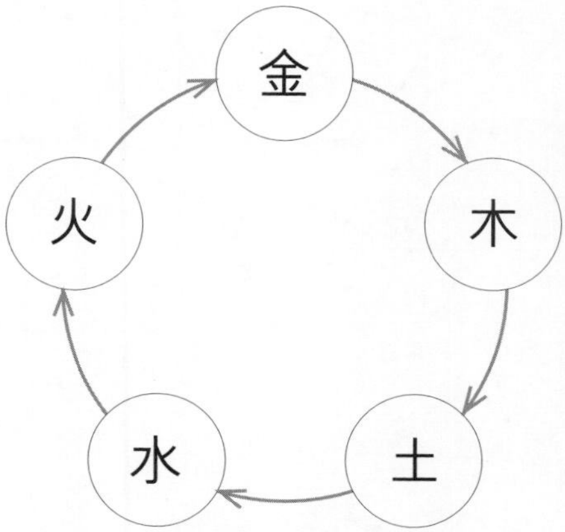

五行循環相剋圖

金能生水，金過多則水泛；
水能生木，水過盛則木漂。

五行的相剋也同樣不是絕對的：

木是剋土的，但是土厚則木折；同理，
土剋水，水盛則土崩；
水剋火，火烈則水乾；
火剋金，金多則火熄；
金剋木，木強則金斷。

常言道，世事無絕對。世間事物都有兩面性，五行的生剋是一種哲理。要掌握八字命理學，對五行的生和剋要有深切的了解是入門的第一課。

天干

八字命理學所運用的十天干，它們是：甲、乙、丙、丁、戊、己、庚、辛、壬、癸。

十天干的五行：

我們要熟知十天干的五行。

甲、乙——木

丙、丁——火

戊、己——土

庚、辛——金

壬、癸——水

十天干的排列剛好是五行的相生：

甲乙（木）↓丙丁（火）↓戊己（土）↓庚辛（金）↓壬癸（水）

十天干有陽和陰之分：

陽干：甲、丙、戊、庚、壬

陰干：乙、丁、己、辛、癸

也就是每一五行有一陰一陽。如甲、乙屬木，甲木為陽，乙木為陰；丙、丁屬火，丙火陽，丁火陰……餘此類推。

人們又把十天干作物喻：

甲木——參天巨木，是棟樑之材。

乙木——花草蘭卉之木。

丙火——太陽之火。

丁火——燈燭之火。

戊土——堤岸城牆之土。

己土——田地山園之土。

庚金——金銀鋼鐵之金，刀劍剛金。
辛金——水銀珍珠之金，飾物柔金。
壬水——長流之水，江河湖海之水。
癸水——雨露霧氣之水。

天干相生：

依五行相生的法則：

木生火：甲乙木生丙丁火；
火生土：丙丁火生戊己土；
土生金：戊己土生庚辛金；
金生水：庚辛金生壬癸水；
水生木：壬癸水生甲乙木。

天干相剋：

依五行相剋的法則：

木剋土：甲乙木剋戊己土；

土剋水：戊己土剋壬癸水；

水剋火：壬癸水剋丙丁火；

火剋金：丙丁火剋庚辛金；

金剋木：庚辛金剋甲乙木。

在天干的相剋裏有以下一種務必要注意的情況，就是同性（同陽或同陰）的天干相剋無情，異性（一陰一陽）的天干卻相剋又相合。

木剋土：甲剋戊、乙剋己。

土剋木：戊剋壬、己剋癸。

水剋火：壬剋丙、癸剋丁。

火剋金：丙剋庚、丁剋辛。

金剋木：庚剋甲、辛剋乙。

相剋又相合的有五對：各又化合出一種五行：

甲己合化**土**；

乙庚合化**金**；

丙辛合化**水**；

丁壬合化**木**；

戊癸合化**火**。

地支

地支共有十二個：

子、丑、寅、卯、辰、巳、午、未、申、酉、戌、亥。

地支與生肖：

子鼠、丑牛、寅虎、卯兔、辰龍、巳蛇、午馬、未羊、申猴、酉雞、戌狗、亥豬。

地支與月令：

寅正月、卯二月、辰三月、巳四月、午五月、未六月、申七月、酉八月、戌九月、亥十月、子十一月、丑十二月。

地支與月令表

正月	二月	三月	四月	五月	六月	七月	八月	九月	十月	十一月	十二月
寅	卯	辰	巳	午	未	申	酉	戌	亥	子	丑

地支與時辰：

子時（晚上十一時至凌晨一時）　丑時（凌晨一時至三時）；
寅時（凌晨三時至五時）　卯時（早上五時至七時）；
辰時（早上七時至九時）　巳時（上午九時至十一時）；
午時（上午十一時至一時）　未時（下午一時至三時）；
申時（下午三時至五時）　酉時（黃昏五時至七時）；
戌時（晚上七時至九時）　亥時（晚上九時至十一時）。

地支與時辰表

23時至1時	子時	11時至13時	午時
1時至3時	丑時	13時至15時	未時
3時至5時	寅時	15時至17時	申時
5時至7時	卯時	17時至19時	酉時
7時至9時	辰時	19時至21時	戌時
9時至11時	巳時	21時至23時	亥時

地支與四時：

寅卯辰：**春季**，五行屬木，東方。

巳午未：**夏季**，五行屬火，南方。

申酉戌：**秋季**，五行屬金，西方。

亥子丑：**冬季**，五行屬水，北方。

地支五行：

寅卯——木
巳午——火
辰戌丑未——土
申酉——金
亥子——水

支藏人元與二十八宿：

地支裏藏有天干，稱做「支藏人元」。

地支分為春、夏、秋、冬四個方局。每個方局的地支所藏的天干合共七個，四個方局就剛好二十八個，跟天上星宿的數目相同。支藏人元就是二十八宿。

東方：

寅藏甲丙戊；

卯藏乙；

辰藏戊乙癸。

東方青龍七宿：角、亢、氐、房、心、尾、箕。

南方：

巳藏丙戊庚；

午藏丁己；

未藏己丁乙。

南方朱雀七宿：井、鬼、柳、星、張、翼、軫。

西方：

申藏庚戊壬；

酉藏辛；

戌藏戊辛丁。

西方白虎七宿：奎、婁、胃、昴、畢、觜、參。

北方：

亥藏壬甲；

子藏癸；

丑藏己辛癸。

北方玄武七宿：斗、牛、女、虛、危、室、壁。

地支藏天干歌訣：

子中藏癸水，**丑**己癸辛同，**寅**宮甲丙戊，**卯**中乙木逢。
辰藏戊乙癸，**巳**中丙戊庚，**午**宮丁己土，**未**宮己丁乙。
申宮庚戊壬，**酉**中獨辛金，**戌**宮戊辛丁，**亥**中壬甲逢。

地支三合局：

申子辰合**水**局：
亥卯未合**木**局：
寅午戌合**火**局：
巳酉丑合**金**局。

地支三會方局：

寅卯辰會**東方木**局：
巳午未會**南方火**局：

申酉戌會**西方金**局；
亥子丑會**北方水**局。

地支六合：

子丑合土、寅亥合木、卯戌合火、
辰酉合金、巳申合水、午未合火。

地支相合：

地支相合是由支藏人元的相合而成的。
寅與丑合：寅藏甲丙戊，丑藏己辛癸。
由於甲己、丙辛、戊癸合，所以寅與丑合。
卯與申合：卯藏乙，申藏庚戊壬。
由於乙庚合，所以卯與申合。

午與亥合：午藏丁己，亥藏壬甲。
由於丁壬、甲己各合，所以午與亥合。

地支相沖：
子午、丑未、寅申、卯酉、辰戌、巳亥各相沖。

地支相害：
子未、丑午、寅巳、卯辰、申亥、酉戌各相害。

地支相破：
子酉、寅亥、辰丑、午卯、申巳、戌未各相破。

地支相刑：
寅申巳三刑。

丑戌未三刑。

子卯刑。

辰、午、酉、亥自刑。

四生（長生）、四馬（驛馬）：

寅申巳亥。

四正：

子午卯酉。

四墓（庫）：

辰戌丑未。

排八字

八字是由年柱、月柱、日柱和時柱的天干、地支共八個字組成。

要懂得排八字，首先要懂得我國曆法（農曆）的節和氣。

農曆以交節才是一個月的第一天，而不是初一那一天，氣是一個月的中間。

立春那天是正月的第一天，也就是一年的第一天，而並不是年初一。

以上一點非常重要。它是確定八字的第一條柱即年柱的。

例如：新曆一九九五年二月四日下午三時二十四分（農曆乙亥年正月初五日申時）立春。

在這一天申時及以後出生的人，是屬豬，年柱是乙亥。

在這一天申時以前，即未時及以前出生的人，是屬狗，年柱是甲戌。

讓我們舉兩個實例：

（例一）新曆一九九五年一月三十一日上午八時（農曆乙亥年正月初一日辰時）

由於一九九五年二月四日下午三時二十四分（農曆乙亥年正月初五日申時）才交立春，所以，正月初一日仍然是甲戌年，並且是甲戌年的十二月。

我們翻開萬年曆便可以查出四柱如下：

年柱	月柱	日柱	時柱
甲戌	**丁丑**	**壬戌**	**甲辰**

（例二）新曆一九九五年二月七日下午四時（農曆乙亥年正月初八日申時）

由於一九九五年二月四日下午三時二十四分（農曆乙亥年正月初五日申時）已交立春，所以，正月初八日已經是乙亥年正月。

我們翻開萬年曆便可以查出四柱如下：

年柱	月柱	日柱	時柱
乙亥	戊寅	己巳	壬申

二十四節氣

月份	節	氣
正月	立春	雨水
二月	驚蟄	春分
三月	清明	穀雨
四月	立夏	小滿
五月	芒種	夏至
六月	小暑	大暑
七月	立秋	處暑
八月	白露	秋分
九月	寒露	霜降
十月	立冬	小雪
十一月	大雪	冬至
十二月	小寒	大寒

請記住，要交節方才踏進那一個月。就是說，立春是正月，驚蟄是二月，清明是三月……餘此類推。

讓我們再舉一例：

（例三）新曆一九九五年六月一日上午七時十五分（農曆乙亥年五月初四日辰時）

由於乙亥年四月初七日辰時立夏進入四月；五月初九日午時芒種才進入五月，所以，五月初四日仍然是四月。

年柱　**乙亥**

月柱　**辛巳**

日柱　**癸亥**

時柱　**丙辰**

推月干：

月干是有一定的法則：以年干去推算，口訣是這樣的：

甲己之年丙作首，乙庚之歲戊為頭。

丙辛歲首尋庚起，丁壬壬位順行流。

若言戊癸何方發，甲寅之上好追求。

這口訣説什麼呢？説的是但凡甲和己年，正月（寅月）天干是丙，也就是丙寅月，順次是丁卯（二月），戊辰（三月）……乙和庚年是戊寅（正月），己卯（二月），庚辰（三月）……餘此類推。

讓我指出他們的規律：甲己合而化土，火是生土，那麼，甲年和己年的正月（寅月）天干是丙（丙火）。

乙庚合而化金，土生金，那麼，乙年和庚年的寅月天干就是戊（土）……餘此類推。

推時干：

時干也有它的推算法則：以日干去推算，口訣是：

甲己還加甲，乙庚丙作初，
丙辛從戊起，丁壬庚子居，
更有戊癸何方覓？壬子是真途。

看看也是甲己、乙庚……的組合，這一回以相剋其合化作子時的天干，甲己合而化土，木剋土，以甲為甲日、己日子時的天干，就是甲子（時），乙丑（時），丙寅（時）……乙庚合而化金，火剋金，以丙為乙日、庚日的子時天干，就是丙子（時），丁丑（時）……餘此類推。

排大運

所謂「一命、二運」，命是八字，運又是什麼呢？就是根據八字的月柱排出來的大運干支。

定陰陽：

要懂得起大運，先要懂得確定八字中的陽男和陰男；陽女和陰女。

以年干的陰陽去決定。不論男女，凡生於甲、丙、戊、庚、壬年的都是陽，就是陽男、陽女。

凡生於乙、丁、己、辛、癸年的，不論男女都是陰，即是陰男和陰女。

陽男和陰女一組，大運順數。陰男和陽女一組，大運逆數。

以下舉例：

（例一）八字是：

甲戌
丁丑
日元 壬戌
甲辰

（A）假設是男命，就是陽男，大運順數。月柱是丁丑，順數便是：

戊寅
己卯
庚辰
辛巳
壬午
癸未
甲申
乙酉

（B）假若是女命，就是陽女，大運逆數。月柱是丁丑，逆數便是：

丙子
乙亥
甲戌
癸酉
壬申
辛未
庚午
己巳

（例二）八字是：

乙亥
戊寅
己巳　日元
壬申

（A）假若這是男命，就是陰男，大運逆數。月柱是戊寅，逆數便是：

丁丑
丙子
乙亥
甲戌
癸酉
壬申
辛未

（B）假若是女命，便是陰女，大運順數。月柱是戊寅，順數便是：

己卯
庚辰
辛巳
壬午
癸未
甲申
乙酉

算運數

幾歲開始入大人運？幾歲行什麼運？就要知道如何計算運數。

法則：

一、仍以陽男陰女順數、陰男陽女逆數的法則去推算。

二、計算出生日與節的相差日數。陽男陰女順數，是由出生日順數至下一個節；陰男陽女逆數，是由出生日逆數至上一個節。

三、以三日為一年，一日為四個月（一百二十天），一個時辰為十日去計算。

四、十年一運，天干五年，地支五年。

以下舉例：

男命：

時	日元	月	年
壬	己	戊	乙
申	巳	寅	亥

陰男逆數，由出生日數至上一個節立春是三天。用三去除，得商是一，便是一歲起運。

1	11	21	31	41	51	61	71	81
丁	丙	乙	甲	癸	壬	辛	庚	己
6	16	26	36	46	56	66	76	86
丑	子	亥	戌	酉	申	未	午	巳

女命：

	年	月	日元	時
天干	乙	戊	己	壬
地支	亥	寅	巳	申

陰女順數，由出生日數至下一個節是驚蟄，合共二十七日另三個時辰，用三去除，得商是九，另三個時辰合三十日，所以是九年又一個月入運。

9 己	14 卯	19 庚	24 辰	29 辛	34 巳	39 壬	44 午
49 癸	54 未	59 甲	64 申	69 乙	74 酉	79 丙	84 戌

至此，排八字、排大運和算運數便完成了，最後澄清以下幾個問題，便可以進行推算了。

早夜子時：

關於早、夜子時。古時並沒有早夜子時這個問題的困擾，因為，逢子時就是新一天的開始，也就是說，子時就是當天的第一個時辰。

自從有了二十四小時一天之後，就出現早、夜子時了。因為，子時是深夜十一至翌日凌晨一時。

深夜十一時至十二時是一天的最後一個小時；凌晨零時才是新一天的開始。那麼，凌晨零時至一時是早子時；深夜十一時至十二時便是夜子時。早子時跟夜子時的地支都是子，但是，天干便不同了。

例如，甲日早子時的天干是甲，即是甲子時。

	日元		
甲	甲	●	●
子	●	●	●

甲日夜子時的天干該由甲子起一直數下去……乙丑、丙寅、丁卯……至丙子。

		甲	日元
		丙	子

夏令時間：

關於夏令時間，某些地區因為用陽光節省能源而在某些年份設有夏令時間。

算命排八字的時候，是否要把夏令時間改回標準時間呢？

我的意見是不需要，為什麼呢？因為，八字算命是玄學的一種，既然是玄學，玄之又玄，既有定法，又無定法，任何一個數、任何一個記號、任何一個字都可以進行推算，不管是夏令時間，還是標準時間，都是上天給你的一個數，其中自有玄機在，為何要更改呢？

時差：

關於時差，在外國出生，或者是外國人用中國的八字算命，是否要根據時差更改為中原時間呢？

我的意見是不需要，為什麼呢？因為地球受着宇宙星宿的不同影響，而人出生的時間（年、月、日、時）是一個紀錄，是人在地球方位出生的紀錄，含着受各星宿影響的玄機，如果都改成中原時間，還有什麼意思呢？

進階篇

十神

八字命理有一套獨特的語言，先是把生剋的關係以「印、劫、財、官、食、傷」等十神來代表。

以日元的天干五行為中心，術語稱做「我」。

（一）「同我者」與我的五行相同，為**比肩**、**劫財**。

同陰陽的是比肩，不同陰陽的是劫財。

例如：日柱（出生日天干地支）是甲子。那麼，甲就是我。

甲的比肩是甲；甲的劫財是乙。

（二）「生我者」為**正印**、**偏印**（卩）。

不同陰陽的是正印；同陰陽的是偏印（卩）。

例如：甲的正印是癸；甲的偏印是壬。

（三）「我剋者」為**正財**、**偏財（才）**。

不同陰陽的是正財；同陰陽的是偏財（才）。

例如：甲的正財是己；甲的偏財（才）是戊。

（四）「剋我者」為**正官**、**七殺**。

不同陰陽的是正官，同陰陽的是七殺。

例如：甲的正官是辛；甲的七殺是庚。

（五）「我生者」為**傷官**、**食神**。

不同陰陽的是傷官；同陰陽的是食神。

例如：甲的傷官是丁；甲的食神是丙。

「六神無主」一詞，是出自八字命理學。除去比肩、劫財這與主人（我）相同的五行，餘下就是財、官、印、殺、食、傷這六神了。

十神相生：

財生正官、七殺；正官、七殺生印；印生日主、劫比；日主、劫比生傷官、食神；傷官、食神生財。

十神相剋：

財剋印；印剋傷官、食神；傷官、食神剋正官、七殺；正官、七殺剋日主、劫比；日主、劫比剋財。

以日干為主，分列「天干十神表」及「支藏天干十神表」如下：

天干十神表

日主＼天干（十神）	甲	乙	丙	丁	戊	己	庚	辛	壬	癸
甲	比肩	劫財	食神	傷官	偏財	正財	七殺	正官	偏印	正印
乙	劫財	比肩	傷官	食神	正財	偏財	正官	七殺	正印	偏印
丙	偏印	正印	比肩	劫財	食神	傷官	偏財	正財	七殺	正官
丁	正印	偏印	劫財	比肩	傷官	食神	正財	偏財	正官	七殺
戊	七殺	正官	偏印	正印	比肩	劫財	食神	傷官	偏財	正財
己	正官	七殺	正印	偏印	劫財	比肩	傷官	食神	正財	偏財
庚	偏財	正財	七殺	正官	偏印	正印	比肩	劫財	食神	傷官
辛	正財	偏財	正官	七殺	正印	偏印	劫財	比肩	傷官	食神
壬	食神	傷官	偏財	正財	七殺	正官	偏印	正印	比肩	劫財
癸	傷官	食神	正財	偏財	正官	七殺	正印	偏印	劫財	比肩

支藏天干十神表

日主＼十神＼藏干＼支	子	丑	寅	卯	辰	巳
	癸	癸己辛	丙甲戊	乙	乙戊癸	庚丙戊
甲	正印	正印 正財 正官	食神 比肩 偏財	劫財	劫財 偏財 正印	七殺 食神 偏財
乙	偏印	偏印 偏財 七殺	傷官 劫財 正財	比肩	比肩 正財 偏印	正官 傷官 正財
丙	正官	正官 傷官 正財	比肩 偏印 食神	正印	正印 食神 正官	偏財 比肩 食神
丁	七殺	七殺 食神 偏財	劫財 正印 傷官	偏印	偏印 傷官 七殺	正財 劫財 傷官
戊	正財	正財 劫財 傷官	偏印 七殺 比肩	正官	正官 比肩 正財	食神 偏印 比肩
己	偏財	偏財 比肩 食神	正印 正官 劫財	七殺	七殺 劫財 偏財	傷官 正印 劫財
庚	傷官	傷官 正印 劫財	七殺 偏財 偏印	正財	正財 偏財 傷官	比肩 七殺 偏印
辛	食神	食神 偏印 比肩	正官 正財 正印	偏財	偏財 正印 食神	劫財 正官 正印
壬	劫財	劫財 正官 正印	偏財 食神 七殺	傷官	傷官 七殺 劫財	偏印 偏財 七殺
癸	比肩	比肩 七殺 偏印	正財 傷官 正官	食神	食神 正官 比肩	正印 正財 正官

支藏天干十神表（續）

支 / 藏干 / 十神 / 日主	午	未	申	酉	戌	亥
藏干	丁己	乙己丁	壬庚戊	辛	丁戊辛	壬甲
甲	傷官 正財	劫財 正財 傷官	偏印 七殺 偏財	正官	傷官 偏財 正官	偏印 比肩
乙	食神 偏財	比肩 偏財 食神	正印 正官 正財	七殺	食神 正財 七殺	正印 劫財
丙	劫財 傷官	正印 傷官 劫財	七殺 偏財 食神	正財	劫財 食神 正財	七殺 偏印
丁	比肩 食神	偏印 食神 比肩	正官 正財 傷官	偏財	比肩 傷官 偏財	正官 正印
戊	正印 劫財	正官 劫財 正印	偏財 食神 比肩	傷官	正印 比肩 傷官	偏財 七殺
己	偏印 比肩	七殺 比肩 偏印	正財 傷官 劫財	食神	偏印 劫財 食神	正財 正官
庚	正官 正印	正財 正印 正官	食神 比肩 偏印	劫財	正官 偏印 劫財	食神 偏財
辛	七殺 偏印	偏財 偏印 七殺	傷官 劫財 正印	比肩	七殺 正印 比肩	傷官 正財
壬	正財 正官	傷官 正官 正財	比肩 偏印 七殺	正印	正財 七殺 正印	比肩 食神
癸	偏財 七殺	食神 七殺 偏財	劫財 正印 正官	偏印	偏財 正官 偏印	劫財 傷官

十神名稱簡寫表

十神名稱	十神簡寫
正印	印
偏印	卩
正官	官
七殺	殺
正財	財
偏財	才
傷官	傷
食神	食
劫財	劫
比肩	比

（例一）

財	日元	食	傷
己巳	**甲戌**	**丙午**	**丁卯**
丙 食 戊 才 庚 殺	戊 才 辛 官 丁 傷	丁 傷 己 財	乙 劫

（例二）

卩	日元	殺	比
庚子	**壬辰**	**戊申**	**壬辰**
癸 劫	戊 殺 乙 傷 癸 劫	庚 卩 壬 比 戊 殺	戊 殺 乙 傷 癸 劫

十神的意義

正印

優點：善良、慈祥、容納、慈悲、寬恕、溫文、穩重、聲譽、氣質、理智、涵養。重視人格、重視名譽、重視情操、重視學養、重視人情、重視感情、重視責任、重視信諾、重視精神生活、較易接近宗教、勞心勞力。以上為正印的優點。

缺點：懶惰、依賴、天真、任性、空想。缺乏獨立自主的精神，過於愛惜面子而弄虛作假，打腫臉去充胖子，是它的缺點。

偏印

優點：超塵脱俗，有敏鋭的感受力，高度的警覺性，奇特的領悟力，於是，走進特殊的領域，擅長奇招怪術，最宜創作，善開先河。而且，觀察入微、心思細密、一流創新、前衛人材。喜怒不形於色、善守秘密、智慧高、頭腦靈活而獨特。富於鬥志和創造，宜創作、藝術、調查、情報、偵探等工作，亦能給異性以安全感是為優點。

缺點：疑慮、空想、敏感、憂鬱、孤僻。憤世疾俗，難有良好的人際關係。三心兩意，喜歡鑽牛角尖，思想奇特而不為世俗所接受。缺乏耐久力，喜歡走捷徑，空白忙碌，多學少成是其缺點。

正官

優點：正直、公正、責任、信諾、管束、制約、紀律。光明正大，秉公尚義、奉公守法，克己自律。不貪非份的財利，重視文明、重視精神生活、重視目標的實現，有領袖才能的泱泱君子是正官的優點。

缺點：太按部就班、循規蹈矩，循序漸進而欠衝勁、欠積極、欠開創、欠冒險精神。太中庸而保守，古板是其缺點。

七殺

優點：有志氣、富進攻力、行動果敢、百折不撓、見義勇為、義蓋雲天、抑強扶弱，具奮鬥力、革命性、開創性。能在逆境中創出生機，有戰鬥力和領袖才能是七殺的優點。

缺點：權威、逆叛、剛烈、偏激、激進、好勝、好勇鬥狠、報復、魯莽、有勇無謀、為義所累是其缺點。

正財

優點：節儉、勤勞、憨直、謹慎、中庸、守本分。循正途去賺錢，善理財，不投機。重視物質、重視信諾、重視責任、任勞任怨、克勤克儉是正財的優點。

缺點：吝嗇、守財奴，甚至刻薄寡情。不懂變通，呆板，枯燥，缺乏情趣。謹小慎微而魄力不足，狹隘而胸懷不廣是其缺點。

偏財

優點：慷慨、豪邁、豪爽、輕財、仗義、圓滑、幹練。富交際手腕】靈活機敏、營謀得利。一生機遇多，人緣好，異性緣尤佳是其優點。

缺點：不珍惜金錢、浪費、揮霍。喜應酬，酒色財氣，喜玩弄手腕，弄虛作假。用情不專、風流成性、為情煩惱，甚至招禍是其缺點。

比肩

優點：自我、自尊、堅定、堅毅、自信、競爭。勇於接受挑戰、堅守崗位、堅持目標、努力工作是其優點。

缺點：過分自信、自以為是、以自己為中心、堅持己見，沒有通融性、不懂得妥協。自私、自尊過強、內心自卑、好與人比較、喜競爭、缺乏良好的人際關係是其缺點。

劫財

優點：自強不息，個人奮鬥不懈。反應靈活、心思敏捷、隨機應變。個性突出、口才佳，在社交場合能製造氣氛，惹人注目，博取好感。天賦耐勞勤勉是其優點。

缺點：個人主義、本位主義。太自尊、自我，外表雖然樂觀，內心常因自我矛盾而苦惱。執拗不服輸。粗野甚至不文。不懂溫柔，對別人顯得關心，對妻子卻不夠體貼。嫉妒心強烈、自大自卑是其缺點。

食神

優點：感性、溫和、儒雅、溫文、聰明、精細。通情達理、氣質清高、不善與人爭執。追求精神境界，注重生活情調，對文學、演藝、歌唱有偏好和天分，有口福，注重飲食享用是其優點。

缺點：太重視精神而忽略實際，往往脱離現實，流於空想、幻想，甚至胡思亂想、神經衰弱。思想清高而自命不凡。喜瀟灑，不受約束，無視世俗規範，我行我素，但是又感孤寂落寞。對飲食過分挑剔是其缺點。

傷官

優點：才氣橫溢、多才多藝、分析力強、口才佳、領悟力特別強、博學多能。好學不倦，一生都學習，自信只要學，都能學會；只要想求，沒有得不到的。充滿活力和鬥志，向難度挑戰，向權威挑戰。有革命、創新精神，相信自己能成為出類拔萃的人物。這是傷官的優點。

缺點：博而不精、興趣太濫，「張張刀，無張利」。恃才傲物、目中無人、驕傲，甚至冷傲。傲岸不群、狂妄誇張、言詞刻薄尖銳、招人嫉妒、人際關係差。目無常規法紀、叛亂、造反、革命。私慾強、違反倫常、是為缺點。

強弱

推算八字，首先要斷強弱，就是分析日元的強和弱，得出強命還是弱命的結果。

論斷強弱，是運用五行在四季（出生月份）裏的強旺衰絕和五行的生剋。

當然，首先要知道日元的五行，接着便看看生於何月。這五行在春、夏、秋、冬各季中的強弱。術語用：「旺、相、休、囚、死」。

旺：該季的五行。例如春季屬木，所以木旺。

相：由旺的五行所生者。例如春季木旺，木生火，所以，春季火為相。

休：生旺五行者。例如春季木旺，水生木，所以春季水為休。

囚：剋旺五行者。例如春季木旺，金剋木，所以春季金為囚。

死：被旺五行所剋者。例如春季木旺，木剋土，所以春季土死。

五行強旺衰絕生剋表

	旺	相	休	囚	死
春	木	火	水	金	土
夏	火	土	木	水	金
秋	金	水	土	火	木
冬	水	木	金	土	火

注：辰（三）未（六）戌（九）丑（十二）日是土旺。

有了日干（日元）五行在出生月的強弱分析後，接着還要比較一下八字中其餘六個（三天干、三地支）五行跟日干生剋關係所成的結果。

生扶日干的五行多，則強。什麼是生扶？印生比劫為扶。

剋泄日干的五行多，則弱。什麼是剋泄？官殺為剋，食傷為泄。財為我（日干）所剋之物，財多而強，我則弱。有謂「財多身子弱」。

以上是斷強弱的理論，要真正懂得必須要從實例去學習。讀者們可以細讀本書以後章節的實例去領悟和掌握。

必須指出，一個八字的強弱並不是一世不變的，隨着不同的大運和流年，強弱會轉化，有時甚至會走到另一個極端。

喜忌

捉用神

俗語有「捉錯用神」一詞，說的是錯怪了別人的意思。你又可知道，「捉錯用神」是八字命理學的術語呢？

什麼是「用神」？就是對該八字（命）有利的那一種五行。

用神亦稱喜神。就是該八字（命）喜歡哪一種五行，當然喜歡對它有用的五行。

既然有喜，自然有忌。對該八字（命）有傷害的那些五行便忌了，稱做忌神。如果說：「以木為用」，那麼，木就是用神、喜神。

「捉用神」是經斷強弱後，判斷出哪一種是有用的五行。「斷強弱，捉用神」是一併進行的。

五行在四時之宜忌

木：春天之木喜火。夏天之木喜水。秋天之木喜火。初秋喜火水（七月），八月喜金。九月喜火，冬天之木喜火土。

火：春季之火喜財多。夏季之火喜殺重。秋季之火喜劫刃。冬季之火喜印食（木、土）。

土：春季之土喜火生，夏季之土喜水潤。申酉（七、八月）之土喜比助。冬季之土喜火木，喜印比。

金：春季之金喜比劫。夏季之金喜水土。水為食神。土為印綬。秋季之金喜水木。冬季之金喜火木。

水：春季之水喜土木。夏季之水喜印比。秋季之水喜火木。冬季之水喜火土。

注：

（一）春季之水喜土木：春月乃水之餘氣，喜土制，以防泛濫，用木為食神生財。

（二）秋季之水喜火木：秋月金旺，為母（金）旺子（木）相，乃進氣之水，喜泄，用木者，以食神生財也，秋月之水，其印太重，用財星破印，故喜火。

（三）冬季之金喜火木：傷食太重，應喜土用印。用火來生土，子（水）母（土）成功。喜比肩（金）相扶，官（火）、印（土）溫養為妙。

（四）冬季之土喜木榮：冬季之土，財多身弱，喜火（印）生，喜比助，木多無礙。木為官殺，用財生官殺。

（五）秋天之木喜火。用食神制殺也。七月喜火水，水為印，火為食神制殺。八月喜金，中秋之木，果實已成，喜金剋制。九月喜火，火炎則木實，用財破印。

（六）凡日干太強旺，行傷官、食神運或財運者佳。

（七）凡日干通根坐庫，不論四季，均作旺論。

（八）干支同類為通根，例如：甲寅、乙卯、庚申、辛酉之類。

（九）干支相生為坐庫，例如支水干木、支土干金之類。

（十）生我者為通氣，例如甲辰，辰宮之癸水生甲木；甲申，申宮之壬水生甲木之類，此乃墓庫之餘氣，根之輕者也。

四季之旺相休囚，用以定生剋制化之強弱，而定取用神之喜忌，此乃基本原則。

強宜剋制泄化，弱宜生旺比扶，這原則並不複雜，不過，一經結合大運、流年就千變萬化了，切忌一成不變。由於強弱會轉化，往往用神化作了忌神。讀者們宜靈活運用，在實例中細心體會。

凡事都有特例，若命特強而從強，過弱就從勢，術語叫做「棄命」。這類命格的喜忌就跟正常命格相反了。既然順勢，那麼喜強旺其勢，而不喜逆剋其勢，下一節介紹吧！

格局

八字命理學把八字分為「正格命」和「外格命」。格局是為八字命名，給它一個名字以作歸類，同類命格其喜忌有着某些相同的規律。

「正格命」成立的條件和次序：

（例一）月支主氣透干。

戊子
庚申
日元 甲寅
乙丑

注：甲生於申月，申藏庚戊壬，庚為主氣又透干。庚是甲的七殺。所以，這命造是七殺格。

（例二）月支的主氣不透而餘氣透干。

	乙亥
	壬午
日元	**庚申**
	己卯

注：庚生於午月。午藏丁己，天干無丁有己，己為餘氣，己是庚的正印。這命造叫做正印格。

（例三）月支主氣、餘氣皆不透，以主氣為格。

庚申
庚辰
日元 **甲寅**
甲子

注：甲生於辰月，辰藏戊乙癸，三者皆不透，辰的主氣是戊，戊是甲的偏財，這命造是偏財格。

正格命共有十種：

正官格、七殺格、正財格、偏財格、正印格、偏印格、傷官格、食神格、建祿格和陽刃格。

讀者都知道，十種正格其中八種就是十神中的八個，為什麼沒有了比肩劫財呢？其實，建祿格和陽刃格亦可以叫做比肩格和劫財格。不過，命理學卻以那月支是祿和刃以命名而已。

天干祿位

天干	祿
甲	寅
乙	卯
丙	巳
丁	午
戊	巳
己	午
庚	申
辛	酉
壬	亥
癸	子

有「祿前一位是陽刃」一語。

天干陽刃

天干	陽刃
甲	卯
乙	寅
丙	午
丁	巳
戊	午
己	巳
庚	酉
辛	申
壬	子
癸	亥

建祿格

乙亥
戊寅
日元 甲申
丙寅

注：甲生於寅月，寅是甲的祿。所以，這命造是建祿格。

陽刃格

乙亥
己卯
日元 甲辰
丁卯

注：甲生於卯月。卯是甲的陽刃。這命造便是陽刃格。

外格命

（一）一行得氣格（專旺格）

八字中與日主同類而特別強旺又多，此種命造為專旺得氣格。因五行不同，而名稱亦不同，喜忌用神互異。專旺格有五種，分別簡述如下：

曲直格：

木人生在寅卯月，地支三合或三會木局，地支多木，旺神又透，原局無金星來剋破，或強土阻礙，便入格。原局有印星，更能取貴，得運助則榮華富貴。用神取木，喜神水木火，大忌金星破格凶運。

炎上格：

火人生在巳午月，地支三合或三會火局，地支多火，旺神又透亦可入格。原局無水破格，一二金星無妨亦可入格。原局有木星，更能取貴，得運助則顯達富榮。用神取火，喜神木火土，大忌水星破格凶運。

金剛格：

金人生在申酉丑月，地支三合或三會金局，地支多金，旺神又透，亦可入格。原局無火星來破格，也無強木來阻礙，原局有水星，更能取貴，得運助則權顯名揚富貴全。用神取金，喜神水與濕土，大忌火星破格凶運。

稼穡格：

土人生在辰戌丑未月，地支四庫全，或四粒土，旺神或印透出便入格。原局無木星來破格，金星愈多，更能取貴，得運助則大成就，富貴長。生於未月的稼穡格，因氣候關係，火炎土燥，要地支見濕土或透癸水，方得延年益壽，富貴久長。用神取土，喜神火土金，大忌木星破格凶運。

潤下格：

水人生在亥子月，地支三合或三會水局，地支多水，旺神透出，原局無乾土來破損便入格。局內有寅木星，更能得貴，如無木火，只能富而不能貴。用神取水，喜金水木，忌土破格凶運。

（二）從格

身弱無根亦無印劫之扶，滿局剋泄日主，使日主孤立無黨無勢的情形。剋、泄物會黨偏旺，日主弱極，不得不棄日主從特旺之神為從格。

從財格：

要干支財多而旺，幾乎滿局皆財，日主失令，弱而無根無半點扶助神，不得已棄命從財。從財入格者，因財星獨旺，得運助則大富之造。用神取財星，喜食傷生財、官殺攻日主護財，忌比劫、印生助日主破格，大凶運。

從殺格：

日主失令，無根又無比印幫扶，滿局全是官殺星，原局不見食傷制旺神，日主過弱，不得不棄命從殺。從殺入格者，喜局內有財星生官殺，必是富貴雙全，得運助則名利雙得。用神取官殺星，喜財生官殺，忌食傷制旺神、印比生扶日主。

從食傷格（從兒格）：

月支是食神或傷官，且干支藏透多食傷成偏旺，如原局有比劫星幫扶日主，不妨礙入從，由於比劫能生食傷，反助旺神，從食傷格最喜見比劫，不過比劫之數量如超過食傷，則食傷不能成旺神，反不能入從，以正格論。若原局完全無財星也不能入從。尤其木火傷官及火土傷官二種從格，因氣候燥烈，原局若不見水星或金星者，反而一生勞碌，終成貧夭或淫賤。入格者最忌見印星大破格。用神取食傷，喜財星，忌印星制食傷破及官殺制比劫。

（三）化氣格

化氣分五種類。日干與月或時干合，化神得月令而特旺者，化格更真。如化神不得月令之旺氣，名化氣失提，雖成格也不能富貴。行運不違，則更可富貴。假化之人出身寒微，但行助化之運，假也成真，則能白手興家，終成富貴。行運剋日干或剋破合神者則成破格，災厄馬上臨頭，有破財、傷身、獄災、血災、水火災等凶運。

甲己化土格：

甲人月或時干己土，己土人月或時干甲木生在辰、戌、丑、未等月，地支土旺有二粒以上，天干再透土星，原局無木星剋破，如有木，幸被合去或剋去，仍能入格。行運喜火生土，金星順泄，大忌木星破格，雖喜金，但逢庚辛金剋甲木，乙剋己土，合神破格，則凶運災禍重重。

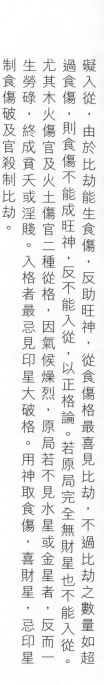

乙庚化金格：

乙人月或時干庚，庚人月或時干乙，生在巳、酉、丑、申等月，地支三合會金局，或地支金旺二粒以上，天干再透金星，原局無火星來剋破，如有火，幸被合或剋去，仍能入格。行運喜土生金、水順泄，大忌火，次忌木。特別忌丙丁火剋庚，辛金剋乙，合神破格，應提防凶運災禍。

丙辛化水格：

丙人月或時干辛，辛人月或時干丙，生在申、子、辰、丑等月，地支三合會水局，或地支水旺二粒以上，天干再透水星，原局無土星來剋破，如丑之濕土仍能入格。行運喜金生水，木順泄，大忌土或火運。特別忌壬癸水剋丙、丁剋辛，合神破格，則提防凶運災禍。

丁壬化木格：

丁人月或時干壬，壬人月或時干丁，生在亥、卯、未、寅等月，地支三合會木局，或地支木旺二粒以上，天干再透木星，原局不見金星來剋破，如有金，幸被合或剋去，仍能入格。行運喜水生木，火順泄，大忌金星遇，次忌土。特別忌戊己土剋壬，癸剋丁，合神破格，應提防凶運災禍。

戊癸化火格：

戊人月或時干癸，癸人月或時干戊，生在寅、午、戌、巳等月，地支三合會火局，或地支火旺二粒以上，天干再透火星，原局無水星來剋破，如有水，幸被合或剋去，仍能入格。行運喜木生火，土星順泄，大忌水星，次忌金。特別忌甲乙木剋戊，己土剋癸，合神破格。應提防凶運災禍。

（四）兩神成象格

原局只有兩種五行，月支必是比劫或正偏印，或食傷星，跟日主或日主與月相生而專純者入格。如見別種五行來滲雜則破局不能入格。如剋神只一粒虛浮無根被合或剋去，可以假成象入格。行運得助仍能大貴。行財或官殺運，必凶變倒霉，童年運行之有夭折之虞。行運以順旺神為喜，逆旺神為忌。

水木相生格：用水喜木，火也吉，忌土金。

木火相生格：用木喜火，土也吉，忌金水。

火土相生格：用火喜土，金也吉，忌水木。

土金相生格：用土喜金，水也吉，忌木火。

金水相生格：用金喜水，木也吉，忌火土。

（五）半壁格

局內只有二種五行，每種各佔四粒，或各佔半面，必須平分，不可稍寡或稍多，且無別種五行來滲雜，二種五行相生，或二種五行相剋，如全局土佔四粒，火佔四粒相生入格。或木佔四粒，土佔四粒相剋亦入格。入格者，行運得助不逆，定大富貴之造。行運取局內二種五行為喜用。五行雖均佔四粒但得命之五行較旺，則取較弱為用。若行通關神調和相剋者更佳運。

木土相成格：木得令，取土為用，喜木，火也吉，忌金。若土得令，取木為用，喜土。

水火相成格：水得令，取火為用，喜水，木也吉，忌土。若火得令，取水為用，喜火。

火金相成格：火得令，取金為用，喜火，土也吉，忌水，若金得令，取火為用，喜金。

金木相成格：金得令，取木為用，喜金，水也吉，忌火。若木得令，取金為用，喜木。

土火相成格：土得令，取火為用，喜土，金也吉，忌木。若火得令，取土為用，喜火。

十神與六親

六親是統稱，這一節所說的六親包括家屬親戚和各種社會關係。

我剋為財：男命以財為妻。換言之，財代表妻子，財星就是妻星。

剋我者為官、殺：女命以官為夫。換言之，官代表丈夫，官星就是夫星。

我生者為食、傷：女命以食傷為子女。

生我者為印：不論男女皆以印代表母親。

同我者為比、劫：是兄弟姊妹。

財星剋印星，所以，不論男女以財星為父。準確一點是，正印是母親，偏財剋正印，所以偏財是父親。

為什麼男命以官殺為兒女（正官是女兒，七殺是兒子）呢？因為男命以正財為妻，財生官殺，妻子生出來的就是兒女，正財和正官同陽陰，就是女兒；正財跟七殺不同陽陰，所以七殺是兒子。

既然七殺是男命的兒子，所以劫財是男命的媳婦，因七殺剋劫財，並且陰陽相配。劫財生食神、傷官，那就是孫兒、孫女了。

正官是男命的女兒，而食神剋正官，食神是正官（女兒）的丈夫，男命的女婿。

根據十神的生剋原理和六親關係的原則，配合陰陽，便可知命中六親關係。

十神與六親關係表

十神	社會關係				男命				女命			
正官	上司	師長			女兒	侄女	外婆		丈夫	姐夫	妹婿	
七殺	敵人	小人	惡勢力	苛刻師長	兒子	姐夫	妹婿	侄兒	情人	兒媳	夫家姐妹	外婆
正印	貴人	得力師長			母親	外孫女			祖父	女婿	孫兒	
偏印	親屬長輩	意外助力			祖父	男外孫	岳丈		母親	孫女		
比肩	朋友	同輩			兄弟	姑丈			姐妹			
劫財	朋友	同輩			姐妹	兒媳			兄弟	家公		
食神	晚輩	學生	下屬	僕人	女婿	孫兒	外公		祖母	女兒		
傷官		晚輩	下屬	僕人	祖母	孫女	岳母		兒子	夫家姐夫妹夫		
正財					妻子	兄嫂	弟媳	姑母	父親	伯叔		
偏財					父親	伯叔	情人		家姑	兄嫂	弟媳	姑母

神殺篇

批八字，推算命運，運用五行生剋已經足夠。十二長生宮及大部分神煞我都極少運用，以下僅作資料附錄。

長生、沐浴、冠帶、臨官、帝旺，衰、病、死、墓、絕、胎、養，此十干寄臨十二名詞也。

甲木長生在亥，乙木長生在午，丙火、戊土長生各在寅，丁火、己土長生各在酉，庚金長生在巳，辛金長生在子，壬水長生在申，癸水長生在卯，陽干順行，陰干逆行，自長生沐浴至胎養，十二支週矣。

按甲木死於午，則乙木生焉；丙戊死於酉，則丁己生焉；庚金死於子，則辛金生焉；壬水死於卯，則癸水生焉。陽臨官則陰帝旺，陰臨官則陽帝旺，臨官又是祿元，勿論陰陽皆是旺位，獨五陽帝旺為陽刃。

天干生旺死絕速見表

五陽干生旺死絕定位

十二干神	長生	沐浴	冠帶	臨官	帝旺	衰	病	死	墓	絕	胎	養
甲	亥	子	丑	寅	卯	辰	巳	午	未	申	酉	戌
丙	寅	卯	辰	巳	午	未	申	酉	戌	亥	子	丑
戊	寅	卯	辰	巳	午	未	申	酉	戌	亥	子	丑
庚	巳	午	未	申	酉	戌	亥	子	丑	寅	卯	辰
壬	申	酉	戌	亥	子	丑	寅	卯	辰	巳	午	未
十二干旺弱	旭日	東昇	破曉	光明	炎輝	斜西	正晡	夕昏	暗昧	沉黑	駐駕	欲曙

五陰干生旺死絕定位

十二干神	長生	沐浴	冠帶	臨官	帝旺	衰	病	死	墓	絕	胎	養
乙	午	巳	辰	卯	寅	丑	子	亥	戌	酉	申	未
丁	酉	申	未	午	巳	辰	卯	寅	丑	子	亥	戌
己	酉	申	未	午	巳	辰	卯	寅	丑	子	亥	戌
辛	子	亥	戌	酉	申	未	午	巳	辰	卯	寅	丑
癸	卯	寅	丑	子	亥	戌	酉	申	未	午	巳	辰
十二干旺弱	旭日	東昇	破曉	光明	炎輝	斜西	正晡	夕昏	暗昧	沉黑	駐駕	欲曙

暗祿

日干	暗祿
甲	亥
乙	戌
丙	申
丁	未
戊	申
己	未
庚	巳
辛	辰
壬	寅
癸	丑

暗祿者，暗藏祿馬貴人也，祿馬乃財官也，財官吉神暗藏，遇有困難，不知不覺中，自有人助之，或得意外之財，又常扶助他人之困難。

十干祿

若四柱中有祿，再行祿運則凶，四柱無祿，行祿運則吉，身旺之祿宜七殺，身弱之祿，怕七殺剋身。四柱有財有祿，行祿堂大運則凶；四柱無財無祿，只有陽刃，行祿堂運則吉，歸祿喜逢財運。

日干墓庫

甲乙以未為墓，壬癸以辰為墓，戊己以辰為墓，庚辛以丑為墓，丙丁以戌為墓。

少年墓庫，糊糊塗塗；中年墓庫，顛倒反覆；老年墓庫，發財發富，此乃主大運中之所見也，仍須看喜忌。

截路空亡

甲己日見申酉時，乙庚日見午未時，丙辛日見辰巳時，丁壬日見寅卯時，戊癸日見子丑時。

犯截路空亡者，求財不得，百事苦勞，實一生不幸之命也。

日貴

日貴，丁亥日、癸卯日，晝間生大吉。

夜貴，丁酉日、癸巳日，夜間生大吉。

命中帶日貴者，位在人群之上，性樸素，具有美德，無傲慢之氣，豪奢之風，至晚年好風流，但遇刑沖者貴變為凶。

日德

甲寅日、戊辰日、丙辰日、壬戌日、庚辰日。

帶日德者，性格慈善，積有陰德，福祿心豐厚，但忌刑沖破害，又憎惡財官之星，逢身旺之運發達者，遇衰運魁罡之流年必死。

金神

癸酉時、己巳時、乙丑時。

金神乃破財之神，須有制伏始得大福，性威猛有制伏始得中和，自然福祿重至，運行火鄉，便為大貴矣。

進神

甲子日、甲午日、己卯日、己酉日。

進神者，萬事進之有功，退之反不美，性剛果斷，進神與桃花同柱者，帶官星者，傾國傾城之命。

惆悵殺

寅日丑時、巳日辰時、申日未時、亥日戌時。

此四日時，人命犯之，主咨嗟不足，屬富貴亦然，君子玷責，庶人刑徒，不獨孤寡。

懸針煞

四柱中形多拖腳，如懸針之狀者，如甲申、辛卯、甲午之類，懸針聚刃，可聽屠沽。

陰陽煞

丙子日、戊午日。

男得丙子，平生多得美婦人；女得丙子，多得男人挑誘。男得戊午，多婦人相愛；女得戊午，平生多逢美男子。日上遇之男得美妾，女得美夫，大忌元辰咸池同宮，主貧淫，更看格局高下貴賤。

女命生年生日同一樣者，多主剋夫，如甲午年生，再遇甲午日，名金神帶甲，十九剋夫，男女命中有子午桃花，若逢卯酉之大運或流年者，名曰子午逢卯酉，必定隨人走，主為淫亂破家，如八字正格清者帶桃花，並不為忌，只怕桃花兼陽刃，或傷官帶桃花，則風流成性，難於言宣。桃花最忌見水，見者荒淫，桃花見進神及官星者，傾國傾城之命，正官帶桃花乃誥封之命，七殺帶桃花，多為偏妻之命。

陽刃（對宮為飛刃又名唐符）

祿前一位為陽刃，對沖為飛刃，故刃後一辰為祿也。凡人有祿，必賜刃以衛之，如甲日見卯年卯月卯時皆是，陽刃忌刑沖，為禍最烈，陽刃要不沖不合，有制者吉，煞刃兩停，位至侯王，身強遇刃，災禍勃然，陽刃為剛強凶猛之物，主性剛急躁。

男多陽刃，妻宮有損；女帶陽刃，刑夫剋子，身弱逢之不為凶，身強遇之招災，命中原有煞刃，歲運交逢之，其禍非常，陽刃有三、四者，常有盲目或聾啞。

魁罡

魁罡日：壬辰日、庚戌日、戊戌日、庚辰日。

魁罡者，制伏群凶及眾人之星，有強烈之性情，主人性格聰明，文章振發，臨事果斷，秉權好殺，運行身旺，發福百端，一見財官禍患立至。如果日帶魁罡遇刑沖，乃貧寒之士，日干得輔佐者眾，必是福人。

庚戌、庚辰日，四柱中忌見丙丁火財官為禍。壬辰日，忌見財官，喜見印綬劫財，日主強大貴，衰貧寒。戊戌日忌見官星，喜見財。

孤神、寡宿

年或月地支	寡宿	孤神
寅卯辰	丑	巳
巳午未	辰	申
申酉戌	未	亥
亥子丑	戌	寅

孤獨之神剋妻子，孤神、寡宿、華蓋、日時相犯主伶仃，又云為林下僧尼；寡宿，主男剋妻，女剋夫。孤寡皆有者，與六親無緣，並帶官印者，男為僧道，女為尼姑。孤寡驛馬者，放蕩於他鄉。凡人命犯孤寡，主形孤骨露，面無和氣，不利六親，生旺稍可，死絕尤甚；驛馬併，放蕩他鄉；空亡併，幼小無依：喪門、弔客併，父母相繼而亡，一生多逢重喪疊禍，骨肉伶仃，單寒不利，入貴格贅婿婦家，入賤格，移流未免。

財庫（以日元天干為主，此乃指八字上之財庫）

金命木財未為庫，木命土財辰為庫，水命火財戌為庫，火命金財丑為庫，土命水財辰為庫，若要富財須藏庫。

金輿祿

日干	甲	乙	丙	丁	戊	己	庚	辛	壬	癸
金輿祿	辰	巳	未	申	未	申	戌	亥	丑	寅

凡有此祿神者，其妻賢內助，兼具有美德，或能受妻家之恩惠等，主人性柔貌慈，舉止溫文。

十干學堂

日干	甲	乙	丙	丁	戊	己	庚	辛	壬	癸
學堂	亥	午	寅	酉	寅	酉	巳	子	申	卯

文學之星，有此星者，由文學而博聲譽，女子有此最合教師之職。

天干桃花（即天干五行沐浴之地）

甲乙木見子，丙丁火見卯，戊己土見卯酉，庚辛金見午，壬癸水見酉。

子午卯酉為桃花，此煞在年月上為牆內桃花，主夫妻恩愛，尚不為害，若逢沖破者凶，在時日為牆外桃花，人人可採最為不吉，女命更忌，此煞喜落空亡。

倒插桃花

寅午戌在月日時見卯年，巳酉丑在月日時見午年，申子辰在月日時見酉年，亥卯未在月日時見子年。

裸體桃花

即日坐桃花，如甲子日、庚午日、丁卯日、癸酉日等是。

遍野桃花

凡子午卯酉全者是，主富貴酒色荒淫，為薄德之人。若在四柱與大運中，具有子午卯酉全者，男女皆主不吉。

滾浪桃花

凡八字天干相合，地支相刑，如丙辛合，子卯刑之類，乃滾浪桃花，男女犯之，好酒色荒淫，因而喪身者有之，酒色猖狂，只為桃花帶煞。桃花驛馬，一生不免飄蓬。命帶咸池，男多慷慨，女多風情。桃花帶合，必是浪遊之子。咸池更會日宮，緣妻致富。桃花若臨帝座，因色亡身。

紅艷煞

天干	甲	乙	丙	丁	戊	己	庚	辛	壬	癸
紅艷煞	午	申	寅	未	辰	辰	戌	酉	子	申

以日為主，以年為主亦是，主女命浪漫不貞、淫奔私約，富貴難免。

正桃花

納音	正桃花
金	巳亥
木	子亥
水	子申
火土	午戌

桃花劫：

三春（寅卯辰）月逢巳酉丑年生人，寅時。

三夏（巳午未）月逢申子辰年生人，巳時。

三秋（申酉戌）月逢亥卯未年生人，申時。

三冬（亥子丑）月逢寅午戌年生人，亥時。

臨官遇劫，名桃花劫，如木人臨官在寅，見卯是也，主少入娼門，老好貧丐。

淫慾妨害煞

八專為淫慾之煞，九醜為妨害之辰。日上犯者，有不正之妻；時上犯者，有不正之子。女人犯者，不擇親疏。九醜，女命犯者多產厄，男不善終。

八專：甲寅、乙卯、戊戌、己未、丁未、庚申、辛酉、癸丑，以日或時上見之。

九醜；戊子戊午、壬子壬午、丁酉丁卯、己酉己卯、辛酉辛卯，以日上或時上見之。

金神煞

甲己見午未，乙庚見辰巳，丙辛見申酉，丁壬見戌亥，戊癸見子丑寅卯。

此煞，男主自立，女主奪夫權，以日為主，以年為主亦是。

返吟、伏吟

地支相同者名伏吟，地支相沖者名返吟。

如子年生人，大運或流年遇子者，為伏吟；大運或流年遇午者為返吟。返吟、伏吟，哭泣淋淋，不傷自己，也傷他人，返吟不但害妻兒，家業難成建立遲。

元辰（又名大耗）

陽年男命，陰年女命，對沖前一位地支為元辰。

陰年男命，陽年女命，對沖後一位地支為元辰。

如甲子年生男，甲午對沖，沖前一位為未。

如甲子年生女，甲午對沖，沖前一位為巳。

元辰若歲運遇之，如物當風，動搖不寧，不有內疚，必有外難，雖富貴亦懼，大運遇之十年可畏，立朝有竄逐之憂，居家亦罹凶咎，縱有吉神扶持，不免禍患倚伏，尤忌在大運發旺之後，將出未出之際，禍不可逃，與官符併，多招無辜之撓，帶劫煞則不謹細行，動招危辱。婦人帶此煞，不尊禮法，一生多災，生子不孝。

亡神

（即天官符，以日為主，月時見之最重，年較輕，如申子辰日見亥月、亥時是也）

日支	亡神
申子辰	亥
寅午戌	巳
巳酉丑	申
亥卯未	寅

亡神入命禍非輕，用盡機關心不寧。亡神若是命局喜用之支，並與吉神同柱，自是謀略深算。若是命局所忌地支，且與凶煞同柱，則刑妻剋子，官府獄訟。

天羅地網

戌亥為天羅，辰巳為地網。

凡納音火命者，見戌亥日為天羅，壬水命見辰巳日為地網，金木二命無之。此煞入命，多主蹇滯，如併惡煞，而又五行無氣，必主夭亡，行運至此亦然，辰戌為天羅地網，又為魁罡所佔，天乙貴人不臨之地。男犯天羅者，女犯地網者，多為變死，不得完天命，兼犯惡煞者，輾死、縊死、溺死、刀傷亡等變死之命。

陰錯陽差

陰錯陽差煞，主夫妻不和，日柱見者最驗。

陰錯陽差是如何，辛卯壬辰癸巳多，丙午丁未戊申位，辛酉壬戌癸亥過，丙子丁丑戊寅日，常主夫妻不諧和。

陰錯陽差煞，男命逢之，主喪中娶妻，婚姻受波折，或入贅他家，過房贅婿，否則剋妻。女命逢之，則為續繼室，否則身有刑剋，主母家零落。此煞最為凶惡，不論年月日時，皆不宜相逢。男命犯陽錯，主退外家或不相往來，又父子不和，或因酒色失敗；女命犯陰錯，翁姑寡和，夫家冷退，剋夫運或剋夫。

咸池（敗神，桃花煞）（取五行之沐浴，此以生年上起或日上起）

日支	寅午戌	巳酉丑	申子辰	亥卯未
桃花	卯	午	酉	子

天乙貴人

日干	甲	乙	丙	丁	戊	己	庚	辛	壬	癸
陰貴	丑	子	亥	酉	未	申	未	午	巳	卯
陽貴	未	申	酉	亥	丑	子	丑	寅	卯	巳

天乙貴人所臨之地，出入近貴，逢凶化吉，天乙文昌主聰明與智慧，為人正大，一世清高。

天德貴人（以日柱為主，正月生人見丁字）

月令	寅	卯	辰	巳	午	未	申	酉	戌	亥	子	丑
天德	丁	壬	辛	亥	癸	甲	癸	寅	丙	乙	巳	庚

天德貴人所臨之地，主貴顯、逢凶化吉之妙。若遇凶神或惡煞刑沖，或落空亡，誠不貴矣。

月德貴人（以日為主，正五九月逢丙日）

月令	寅	卯	辰	巳	午	未	申	酉	戌	亥	子	丑
月德	丙	甲	壬	庚	丙	甲	壬	庚	丙	甲	壬	庚

月德貴人所臨之地，主福壽，女性逢此，性情溫順、賢良，且有貞操之人，亦有逢凶化吉之妙用。人命值天月二德所臨，必福祉長壽。

天赦（以日為主，如春月逢戊寅日）

春戊寅、夏甲午、秋戊申、冬甲子。

命中逢天赦，一生處世無憂，不犯官刑。

驛馬（以日為主，如申子辰日，而年月時見寅者是，以年為主亦是）

申子辰馬在寅，亥卯未馬在巳，

寅午戌馬在申，巳酉丑馬在亥。

貴人驛馬多升擢，常人驛馬主奔波。馬奔財鄉，發如猛虎，馬頭帶劍，威鎮邊疆，帶劍者壬申癸酉是也。庫馬主少年之喜，旺馬主壯年之榮，生馬主晚年方得遂。小兒有驛馬，若見沖動，有驚病顛蹼之厄；老人見馬沖動，則患氣虛、腰痛、腳痛等。

三奇（以日為主，順序者是，逆亂若非）

凡命遇三奇，主人精明異常，襟懷卓越，好奇尚大，博學多能。帶天乙貴人者，勳業超群；帶天月二德者，凶災消散；帶三合入局者，國家棟樑；帶空亡生旺者，山林隱士，富貴不淫，威武不屈，誠上格也。

此格以卯巳午三奇為是，即乙丙丁也，入貴愈貴，故吉凶隨格局用神而定之。

六甲空亡

甲子旬空戌亥，甲戌旬空申酉，甲申旬空午未，甲午旬空辰巳，甲辰旬空寅卯，甲寅旬空子丑。

如日元在甲子旬中者，年月時支見戌亥，即是空亡，見辰巳即是孤虛。凡帶此煞，生旺則氣度寬大，多獲意外名利，死絕則多成多敗，飄泊無踪，惟與三奇、長生、貴人、華蓋並見者，主大聰明。

四大空亡

甲子並甲午，旬中水絕流，甲寅與甲申，金氣杳難求。

如日元在甲子、甲午旬中，而生年值納音之水；日元在甲寅、甲申旬中，而生年值納音之金，即是正犯，行運中亦為犯也。凡帶此煞，主一生蹇滯，且多夭折。

劫煞（以日為主，月時見之最嚴重，年較輕，如申子辰日見巳月巳時是也）

日支	申子辰	寅午戌	巳酉丑	亥卯未
劫煞	巳	亥	寅	申

劫煞為五行之絕處也，命中犯之多破財，惹是非，劫煞為災不可當，徒然奔走名利場。

十惡大敗（以日主見者為是，無祿日）

甲辰	乙巳	壬申	丙申	丁亥	庚辰	戊戌	癸亥	辛巳	乙丑

凡此十惡大敗生之人，身旺者不忌外，身弱者破父運與父命，邦國用兵須大忌，龍蛇出穴也難伸，人命若還逢此日，倉庫金銀化作塵。

四廢（以日為主）

春庚申辛酉、夏壬子癸亥、秋甲寅乙卯、冬丙午丁巳。

凡此日生之人，作事無成，總挾障礙，不能達成願望。凡此等日要外出、轉宅、祝賀等亦不吉，如有生扶不作此論。

天轉殺、地轉殺

天轉殺：春乙卯、夏丙午、秋辛酉、冬壬子。

地轉殺：春辛卯、夏戊午、秋癸酉、冬丙子。

凡天轉地轉日生，身弱者難養育，作事亦不達成。凡此日受職、出行、商賈、造作、嫁娶等必主凶。命逢此日，必主夭折，如有制伏不作此論。

文昌（以日為主，如甲日見巳，乙日見午是）

日干	甲	乙	丙	丁	戊	己	庚	辛	壬	癸
文昌	巳	午	申	酉	申	酉	亥	子	寅	卯

文昌入命，為人聰明，主逢凶化吉。

將星（以日為主，如寅午戌日，而年月時見午者是）

日支	寅	卯	辰	巳	午	未	申	酉	戌	亥	子	丑
將星	午	卯	子	酉	午	卯	子	酉	午	卯	子	酉

將星文武兩相宜，祿重權高足可知，人命值將星，主入官界。

月將（凡命生正月雨水後，二月春分前，地支得亥即是）

節氣	月將
雨水春分	亥
春分穀雨	戌
穀雨小滿	酉
小滿夏至	申
夏至大暑	未
大暑處暑	午
處暑秋分	巳
秋分霜降	辰
霜降小雪	卯
小雪冬至	寅
冬至大寒	丑
大寒雨水	子

太陽所臨，吉增凶斂，其用與天月二德同，係吉神則益吉，凶神則減凶，即值空亡，亦不以空亡論。

華蓋（以日為主，年月時見者是）

日支	華蓋
寅午戌	戌
巳酉丑	丑
申子辰	辰
亥卯未	未

華蓋者，藝術文章之神，若四柱中多者，縱為貴命，亦不免孤獨，或為僧道也。華蓋臨身定為方外之人。華蓋逢空，偏宜僧道，印綬逢華蓋，尊居翰苑。

華蓋主孤寡，乃僧道之命，凡辰戌丑未時者，主子少。凡人命帶華蓋多主孤獨，縱貴不免，多主離群索居孤獨寂寞，女命填房或為孀寡。凡命坐華蓋，主平生歇滅，壬癸人，尤忌，主年老喪子，日犯剋妻，女命時逢，一生不產，與夾貴併則為福，主清貴，不利財物。

一個八字的「無限」

通常一個人的八字，就是推算那一個人的命運。你有沒有想過憑一個人的八字，可以推算出所有與這個人有關係的人的命運，甚至可以推算出跟這個人沒有直接或間接關係的人的命運呢？

這並不是癡人説夢。我就是這樣做，這並不是自我吹牛。凡讀過我命理高班課的學員都見過我作示範，在白板上我寫上一個八字來，用這八字去推算他的六親、上司、下屬或朋友的運程是我經常做的事，我還可以用這個八字去推算坐在課堂上學員的命運，以及學員的六親、朋友、上司及下屬的運程。如果不是親眼看到，親耳聽過，你是不會相信的。

八字命理是一種玄學，玄學有一定法則，但是，不要墨守那些法則，也不要被法則束縛了。

以下談一談一個人的八字，如何看成六親的八字。

丁亥
辛亥
丙申 日元
戊子

這是一個男命，丙火生於亥月。亥藏壬甲，天干並沒有透壬甲。壬是亥的主氣，壬是丙的七殺，這個男命是七殺格。

辛金是丙的正財，男命以財為妻，所以，辛金就是丙的妻子。月支亥中壬水是辛命的傷官，丙的妻子就是傷官格。

丙以乙木為正印，為母親，亥月壬水為乙木的正印，所以丙的母親是正印格。

丙以庚金為偏財，為父親，壬水是庚金的食神，丙的父親便是食神格。

丙以壬水為七殺，為兒子，他的兒子是建祿格，因為壬祿在亥。

八字中的戊土是丙火的食神，是他的下屬、學生。戊土在亥月是偏財格。

年干丁火是丙火的兄弟，丁火生於亥水是正官格。

餘此類推，先找出六親的天干，比對原八字的月令，便能定出格局。

定格局是為了推算，要推算就要斷強弱，明喜忌。

這個男命，丙火生於亥水，天寒地凍，金寒水冷，以火暖身為首要。可惜地支兩亥水，一子水，申子又半會水局，地支一片汪洋，年干丁火無力，轉而以時干戊土去止水，是為食神制殺。本命以火土為用，木雖然能泄水生火，但是濕木不能生火，並且，天干行甲、行乙會剋去戊土。水是忌神，金能生水，泄土氣，所以金也是忌神。

最佳用神是火。大運、流年、月、日、時遇火則吉旺。

最大的忌神是水。大運、流年、月、日、時遇水，或金生水旺時，就生災劫。

這個男命是身弱殺強，金是這丙火男命的財，身弱不能任財，若行金運，會破財失妻。

水是丙火男命的官殺，既然殺強身弱，那麼，再行水運，就是殺旺沖身，會惹官非，會生病，甚至有生命危險。

這位丙火男命的妻子辛金，生於亥月，同樣是金寒水凍，以火暖身為首要，丙火和丁火都在身邊，丙辛合，合而有情。辛金愛丙火。

可惜丙火本身相當弱，自顧不暇，還要去溫暖他人，其弱更甚，除了以火暖身外，還要土去生身，因為辛金在這個八字裏也是弱命，弱則喜生扶。地支兩亥一子，申子半會水局，一片汪洋，辛金食傷過旺，泄身太過，是為身弱。所以，喜火暖身，土生身，以火土為用，金雖然能扶助，但是，金會生旺水，並非全喜。

辛金妻星最忌水，水是傷官，傷害官星，就是剋夫。辛金妻是傷官命。

丙火男命的妻行火土的大運，流年、月、日、時則吉旺。行金運是辛金的比肩劫財，雖然可以幫身，但是於夫星不利。因為劫財是財被劫，無財生官，官不旺。而且，金生水旺，此劫生食傷，食傷過旺而剋夫。

辛金妻子最忌行水，因為原局的水已經過強、過盛，再遇水就會生禍事，水是金的傷官，辛金妻子行水運，就是行傷官，會剋夫。

壬水是丙火男命的兒子，在丙火這個八字裏，壬水是建祿格，是一個強命，壬生亥月，冬天水旺，地支全是水。且有辛、申二金生水，所以是極強的水命，冬天的水寒冷不能生萬物，沒有生機，所以，以丙火為用，暖身為要。土能止水，所以土也是用神，木能泄水生火，也是喜神，水是忌神，水是比劫，劫財。財為父，行水運劫財則傷父了，行火運是財運，身旺能任財。財為父，父吉旺。

戊土是丙火男命的下屬，在丙火這個八字裏，戊土叫做「財多身弱」，我剋為財，土剋水。壬水為戊土偏財。戊土偏財格，地支兩亥一子，申子半會水局，水多土弱，是為財多身弱。

身弱不能任財，亥月土凍，以火暖身、生身。以土為扶助。當行火運、大運、流年、月、日、時遇火，印生身強，便可任財，丙火男命的下屬就發財。如果行水運，行財，便會破財了。

餘此類推，可以把丙火男命的所有親屬朋友都來一個分析，斷強弱，明喜忌，就可以知道行運的吉凶。

所謂運，是以丙火男命的大運看。丙火男命的大運是：

3 庚戌
13 己酉
23 戊申
33 丁未
43 丙午
53 乙巳
63 甲辰
73 癸卯

43歲丙運，丙火男命行比肩運；辛金妻行官運；壬水兒子行偏財運；戊土下屬行偏印運……餘此類推。

流年如一九九五年乙亥，丙火男命上半年行乙正印運，下半年行亥水殺運；辛金妻上半年行偏財運，下半年行傷官運；壬水兒子上半年行傷官運，下半年行比肩運。

月、日和時可根據上述的原則進行推算。

夫妻八字的奧秘

你有沒有想過在丈夫的八字裏，可以找出妻子八字相近的組合呢？

你可能不明白我說什麼，看看下面的例子便該明白了。

丈夫的八字：

丁亥
辛亥
日元 丙申
戊子

男命以財為妻，這個丙火日元的男命，以金為妻財，我們以申金為日元去寫出這個八字，是這樣的，申藏的主氣為庚，即當庚為日元，去推算其他七個字與庚的關係，圖示如下：

官	劫	殺	卩
丁	辛	丙	戊
亥	亥	申	子
食	食	日元（庚）	傷

讓我們看看其妻子真正的八字：

傷	傷	日元	卩
乙	乙	壬	庚
巳	酉	申	子

妻子的八字中：

卩	日元	傷	傷
庚	壬	乙	乙
●	●	●	●

跟由丈夫八字中，財星為日元所寫出的八字結構是何其相似。

卩			
戊	●	●	●
子	申	亥	亥
傷		食	食

丈夫的八字是身弱，在妻子的八字裏不也是夫星弱嗎？

另一對夫妻的八字：

丈夫：

甲辰
癸酉
日元 庚申
庚辰

妻子：

乙巳
辛巳
日元 庚午
戊寅

比較一下這對夫妻的八字，看出一些一什麼玄機呢？

丈夫是身強財弱，妻子不就反過來是官殺強而身弱嗎？

男命以財為妻，既然丈夫身強財弱，就是妻弱，剛好其妻就是身弱。女命以官殺為夫星，妻子八字官殺強。

找夫妻的八字來比對一下，很有趣味，內裏玄機無窮。丈夫的八字有妻子八字的組合；同樣，妻子的八字裏亦有丈夫八字的組合。

其實，除了夫妻的八字外，父子、母子、妻兒、兄弟……的八字都可以比對，更有趣味，保證你會發現更多玄機。

上一章，我說了「一個八字的無限」，這一章是補充，是從另一個角度去說，用一個八字可以批出六親以及朋友、拍檔、上司，甚至是上司的情人、拍檔的朋友……無窮無盡的命運。我每天都是這樣，這是我的工作。

實例篇

寒天冷水不生木

男命：

己丑
乙亥
日元 乙卯
己卯

大運：

4	14	24	34	44	54	64	74
甲戌	癸酉	壬申	辛未	庚午	己巳	戊辰	丁卯

這個乙木男命是強命還是弱命？

這個八字只有水、木、土三個五行，可以說是一目了然。乙木生於亥月，水旺木相，月干乙木，日元下坐卯木，乙祿在卯，書上稱是「專祿」，日支是卯木，這還不是明明白白的強乙木命嗎？

書上分析強弱有所謂：得時（令）、得地、得黨，便是強命。乙木生於亥月，水強生木，謂之得時；自坐臨官，是為得地；天干透乙木，時落於卯稱做得黨。這樣說，這是百分之百的強命了。

我的看法是乙木弱命。

這是我一位八字班學員的八字，他找我批八字，因為太忙，排不上時間，便徵得他同意，在八字課堂上做實例，當着近百名同學去批斷。

「我並沒有跟師父造馬，師父所批的都中，很多事經他的批斷再勾起了我的回憶……在師父的批斷裏，除了我之外，還請了很多人登場，那些人那些事都被師父說中了。八字的確是一門真真實實的學問……我是一名教徒，從來不相信這一套，也跟其他人一樣視之迷信。我的好朋友來學，我是抱着湊熱鬧的心態來的。如今，事實擺在眼前……總之，這門學問並不假，要好好的學習。」

批完八字，我請了八字的主人出來作印證，他面對同學說出了以上一番肺腑之言。

為什麼是乙木弱命？

我問學員，這個八字欠什麼五行？

「欠金。」

「不對，有一點辛金藏在丑土裏，丑藏己辛癸。」

「欠火。」

對。

這個八字一點火也沒有，他生在一九四九年十一月二十一日（農曆十月初二日），是小雪的前一天。正是天寒冰冷的日子，寒冷的水不單不能生樹木，還會把樹木凍死。

天寒水冷，沒有一點暖氣，只有靠同伴圍攏取暖。原局以木（比肩乙卯）為用，也只有木能用，亥水不能生木，只能把木凍壞、凍死。

當然，寒天凍木，急需火暖身調候，以火為用是常識，可惜原局並沒有這用神，唯有等待大運和流年了。

他有一位弟弟，彼此感情很好，他很愛弟弟。為什麼喜愛？因為是命中的喜用神。

以下是我當晚批斷的整理。

母親：

他是木，水生木，水就是他的母親。

他的母親是傷官命。為什麼？我生者為食傷，這個八字裏有兩乙木、兩卯木，亥卯又半會木局，水生出這麼多木來，不就是傷官嗎？傷官命剋夫。

他出生後初運是乙亥（月柱），四歲入甲運。換言之，由出生到八歲（九歲入戌運）是行「乙亥甲」比劫運，他行劫財，即是母行傷官。他劫財，財是父，就是對父不利，母行傷官，官是夫，傷官就是傷夫。

父親：

財為父。他是木，木剋土為財，生於亥月，水強，土父是為財多身弱。木為土殺，木多殺強！木命出世至九歲前行乙亥甲運，就是父親的官殺運。

原局父親身弱殺強，再入官殺運，身弱何能敵殺？五十年代初期，他的父親在內地被拘禁，失去聯絡，一直音訊全無。

至三十九歲未運，未沖丑，才漸漸聽到父親的消息。

自身：

早運行劫財、印、殺，境況十分淒涼。

四歲甲運，甲己合土，身弱逢財，可知貧困。

戌運，卯戌化火，暖身之喜，戌是財，小小年紀出外工作。

至三十九歲未運，亥卯未會木局，未運進入南方好運，既有暖氣，又逢木局幫手，由弱轉強，身強可以任財，做生意，一帆風順。

四十四歲轉入庚午運，午火暖身。庚與乙合而化金。天干兩乙皆與庚金合而化金，既然日主乙與庚合而化金，就轉為日主屬金去推斷。

原局有兩己土、一丑土，三土去生金而旺。金旺可以任財。財就是原局的兩卯和卯亥合木，是為身旺財旺。所以，四十四歲開始的庚午運賺大錢。

接下來的都是火土木好運，繼續發財發富。

妻子：

時干的己土是妻子。火生土，所以火是妻子的母親，全局無火。妻星無印。這表示了什麼呢？就是他的岳父岳母（妻子的父母）不是生離就是死別。事實是，在妻子年紀很小的時候，其父親已經離家而去。

己土（妻星）生於冬天，極需要火溫暖，所以，妻子很愛母親，對母親很孝順。

本命為乙木，乙木本性陰柔，而且身弱，所以畏妻，受妻管束。

是否一生畏妻？不是的。當四十四歲轉入庚運，乙庚合而化金，由乙木轉化為金，於是，性格和處事方法轉強。並且，己土（妻星）生金，不再受妻子管束，有獨立行動。

不過，己土（妻星）生（乙庚）金，就是己土行傷官。有兩個現象，一是夫妻會有拗撬；二是妻子會去讀書（去讀電腦、會計、語言或學習各種業餘興趣）。

乙庚合而化金，以月亥水而言，他本人也是行傷官。在乙亥年來上課，學習風水命理、掌相，每星期三節課。

女兒：

藏在丑內的一點辛金就是女兒。

天寒弱木，只得一個女兒。

行午火運暖身，可以生「仔」，視乎他自己的決定。

弟弟和弟婦

月干的乙木是弟弟。年干的己士是弟婦。

三十九歲未運，丑未相沖，把己土的根沖去（年柱是己丑）。妻星（己土）的根被沖，有夫妻分離之象。弟弟移民澳洲去了，跟仍然留在香港的妻子兩地相隔。

未運，未來沖丑是其一；未還跟月提的亥、日支和時支的卯三合為亥卯未木局，是兩個木局（有兩個卯），木是土的官殺。己土是妻，亥卯未，卯未便是官殺，於是，在未運，弟婦有兩個情夫，其中一個還是弟弟的朋友，為什麼呢？因為乙亥月柱，乙木是弟弟，坐下的亥中甲木便是劫財。未運，未合亥，是由劫財（甲）合出妻星（己）的官殺。

婦）行傷官。庚運，乙庚合而化金，乙木弟弟同樣轉化為金，己土（妻）生金，也就是妻（弟弟弟與弟婦離婚。

大姨、二姨

妻子有兩個姐姐。時干是妻子，那麼年柱的己丑就是兩位姐姐。己土是二姐，丑土是大姐。

庚運，乙庚合化金，己土生傷官。官星化傷官（乙是己土官星，乙庚化金，金變成己土的傷官），二姐也離了婚。

丑土（大姐）在己土的下面，丑土的官星在旁（月提）的亥內，亥藏甲木，甲己合。乙庚化金在天干，所以，對大姐的影響未至離婚那麼嚴重，只是大姐夫返大陸做生意，聚少離多。

疾病：

本命五行欠火，太寒太濕，水泄金氣，患哮喘。運入火土，可望痊癒。

兄弟知多少

伍太是我的學生，無論是掌相、八字、風水的課程她都讀。那一晚，幾十名同學到她的工廠寫字樓做完風水實習，她在酒樓設數席招待我和同學們。

伍先生陪同，坐下寒喧數句，伍太就遞上她丈夫的八字，要求我說一說。

我看看伍先生的八字：

戊子

己未

日元 辛亥

丙申

大運：

4 庚申

14 辛酉

24 壬戌

34 癸亥

44 甲子

54 乙丑

64 丙寅

74 丁卯

我先問伍先生：「你沒有見過你的外公？」

伍先生回答：「是呀，沒有見過。」

我再鮮明一點：「我是說，他早不在人世。」

伍先生點頭：「在我母親年紀還小的時候，已經去世。」

同席的人，伍先生夫婦、我的徒弟和同學都不約而同的望着我，他們狐疑，我怎麼只看伍先生的八字一眼，便知道他的外公早逝呢？

我是這樣看的——

伍先生辛金日元，土生金，那麼土就是伍先生的母親，火生土，火是伍先生的母親的母親，即外婆。

外婆是火。火生土，我生為食傷，土是火的食傷，伍先生的八字裏有戊、己、未三個土。己未是月柱，六月土強，外婆是傷官命。月柱傷官，年干透戊土，三土即三傷官，是極強的傷官。女命官為夫，傷官就是傷夫、剋夫。

伍先生八字裏年支子水是外公，被強土圍剋，弱水哪能敵強土？於是，外公早逝，伍先生沒有機會見到外公了。

戊子
己未
辛●
●申
日元

接着我說：「伍先生應該是個博士。」

伍先生點頭，謙遜的微笑。

伍先生辛金日元，生於未月，干透戊、己土，時落申金，土生金扶，是為強金命。

強金宜泄，以年支子水食神為用。

食神為用，性好學，喜讀書。「書中自有黃金屋」，能讀書，成博士。

可惜的是，食神藏而不透，不出名。

食傷為用而透干，則有名氣，會出名。

伍太插嘴問：「又說食神能食，會肥胖，師父，你看他……」

眾人立刻對伍先生（我們改口稱伍博士）行注目禮，使得伍博士滿面通紅，說話結結巴巴。

我說，沒錯食神能食，會肥胖，這是一般的看法。我們應該看看伍博士的食神子水被群土即印星所制，未害子，因此，雖以食神為用，也不會肥胖。

我繼續說，食、傷也主口才，能言善辯。

伍太立刻說：「他不會說話，哪裏還談得上口才呢？」

我糾正伍太：「該是說在你的面前他不懂說話。」

眾人哄笑，但伍博士笑得很靦覥。

我說：「我說的是命理。」

眾人留心聽我解釋。我說，伍博士的子水食神被未害，而未能與妻宮亥拱合，亥未拱卯，辛金以甲木為妻，亥藏壬甲。亥（藏妻星，妻宮）與制食神的偏印拱合，所以，在妻子面前變得木訥，處處為妻所制。

		日元	
○	○	辛	○
子	未	亥	○

子未害
未亥拱卯合

我對伍博士說：「每一個成功的男人背後都有一個女人。」

大家又笑了。

我說的是真話，伍太畢業於英國牛津大學，她是搞設計的，她屢獲國際獎項，她跟丈夫一起創業，事業成功，現在，生意交由丈夫打理，她去讀書、遊埠。

伍博士辛金強命，財為喜用，財為妻，妻為喜神，伍博士愛妻，伍太助夫。

「你的兄弟中該還有一個博士。」

「是。」伍博士望着我，彷佛什麼都給我看透了。

伍博士辛金以子水為食神，是博士。他的兄弟，八字裏的申金（時支）以亥水為食神，是另一個博士。

	日元		
●	辛	●	●
申	亥	●	子

「你應該有十五個兄弟，其中兩個已經不在人世。」

我說得輕描淡寫，但是，伍博士感到驚訝。「準，準確無誤！」

兄弟多少個，如何算？

就讓我來算一算，辛金是伍博士本人，申金是兄，所以，共**2金**。

丙與辛合，丙火變作「自己友」，是兄弟。我們算一算八字裏有丙火、未中藏丁火，共**2火**。

丙辛合而化水，那麼，水也是兄弟。算一算：子水、亥水、申中藏壬水，加上丙辛化的水，共**4水**。

亥與未合，既然亥是兄弟，與亥合的未也是兄弟了。未是土，算一算：八字裏有戊、己、未和申內藏的戊土，共**4土**。

亥與未拱卯合木，於是木也是兄弟。亥中甲木、未中乙木及亥未拱合木，共**3木**。

2金＋2火＋4水＋4土＋3木＝15。

這不就是十五個兄弟嗎？

不過，**子害未、申害亥**，損了兩兄弟。現存十三個兄弟。

「這十五個兄弟並不是同一個母親所生。」我說。

伍博士點頭。

「你不單止一個母親。你父親有三個妻子。」

「對。」

伍博士是辛金，他的母親是土。木剋土為財，木是伍博士的父親。

在伍博士的命局裏有三土（戊己未），單一甲木藏在亥水裏。木弱土強，伍博士的父親是財多身弱。

財多妻多，伍博士的父親有三個妻妾（三土戊己未）。命局中，子害未，伍父有喪妻之痛。

「你的父親喜歡搞地產生意，不過，每逢搞地產都失敗。」

「你怎麼算出來的？」伍太很感興趣。她也上我的八字課。「事情正是這樣。」

我解釋，亥未拱合，伍父合財（妻），合的是未土。合為喜，斷其喜歡搞地產。但是，由於財多身弱，土強木弱。身弱無力任財，所以，搞地產必敗破。

「你很愛你的兒子，如珠如寶。」我對伍博士說。

「比珠寶還要重要。兒子在英國讀書，每逢假期，即使只是星期六、日，他也乘飛機去看望兒子。」伍太溫情洋溢的笑容，使每一個人都被她幸福家庭感染。

男命以官殺為兒女。伍博士辛金命，丙火剋辛金，丙火就是他的兒子。

本來，印強（土多）畏官（火）生。本命三土為印，本應不喜歡丙火再去生土。

不過，丙辛合而化水。水是伍博士命中喜神。丙辛合化為用神，化忌為喜，所以，伍博士愛子尤勝自己。

「你很聽兒子的話。」

「簡直唯命是從。」伍太笑着說。伍博士滿臉愛子的笑容。

因為丙剋辛。命強喜剋。

丙火是伍博士的兒子。土是火的食傷。伍博士命中有三土，月柱己未，丙火兒子是傷官格，己土是丙的傷官。傷官好學、能學。

當伍博士行甲木運，木生火旺，丙火旺而喜泄，其子就學業有成。

「他是全英國數學比賽冠軍。」伍博士滿懷欣慰。「在香港工作時，要有長假期才能去探望他。如果在美國，逢星期六、日我都會飛去看看他。不然，感到渾身不舒服。」

一顆恨嫁的心

劫 辛丑
劫 辛丑
日元 庚申
傷 癸未（己丁乙）

這是我一位女學生的八字，她迫切地問姻緣，她懷有一顆恨嫁的心。

這是庚金強命，庚金生於丑月，地支二丑一未共三土，土生金旺；天干兩辛金；庚金自坐申祿，極強之命。

強命喜泄，靠時干癸水傷官泄秀。

本命生於冬天，金寒水冷，雖然有水泄秀，但是寒水仍不為喜。

傷官透干不利姻緣。

金要火煉，尤以冬天，以火暖身為要，可惜全局並無明火，只有丁火藏於時支未土中，丁火本弱，還有時干癸水淋頭，試問丁火何存？

金以火為官星，冬天的金，極需要火來暖身，所以極需要男人，會主動追求，甚至主動獻身，為愛不惜作出一切犧牲。一經黐上就如濕水芝麻，扔不甩。

姻緣會來得遲。因為丁火藏於時支。

庚金以丁火為官，為夫星、正夫。可惜，癸水傷丁。

丙火是庚金的殺，為情夫。她可以當人家的情婦嗎？

算是肯當，情況亦難令人滿意。因為，年干月干透兩辛金劫財，丙辛合，辛是丙的妻。丙辛合化水，傷官，化出兩個傷官來，不吉。就算是真的出現丙，這個丙先有兩個女人（兩個辛）或是曾結婚兩次。本命是丙的第三個女人。

年月日順次，丙來先經過年干辛、月干辛，然後才到日元（日干）庚。

她承認過去的男友都是有妻子的。

「會喜歡鬼佬（西方人）。」我說。

「師父，你怎麼知道？」

本命忌金，往往會結識到西方人（鬼佬），西方屬金。其實是大忌。

既然是忌，又為什麼會結識，會喜愛呢？因為其終結是姻緣不美方合本命。

「甲戌庚牛羊」，丑未是她的貴人。丑未是生身父母。身強不喜父母，由一九八四（甲子）年開始獨居。甲子年，甲庚沖，一沖即動，子丑合土為忌，故搬離母家，身強以印為忌，不喜印，不同住。

乙木偏財為父，乙木藏於貴人星未中，父女感情好，父疼愛她。身強偏財為喜用。

本命癸水傷丁，年月干辛金合化丙為忌，丙丁火皆不能用，改用木，因為木可以生火。以木（財）生火（官）為用。

甲戌（一九九四年），上半年是甲。甲木生火，會相識新男朋友；戌年，戌是西北方。

「在西撒哈拉沙漠認識了一位阿拉伯籍男友。」

她被我的推算引得主動招認印證。

我說，甲戌年下半年官星入墓。庚金以火為官星，戌是火的庫、墓。關係受考驗，若即若離，可望而不可及。

她急於追問將會如何，她的男朋友會怎麼樣。

我說，甲戌上半年，男朋友（火）行印（甲木），印生身，舒服、暢順，「唔使點做」。下半年戌土是火的傷食，他會學習，會計劃新的生意。

在她的命局裏，火弱金強，其男友就財多身弱。下一年（乙亥），官星行印（木）運，生旺官星的力量，身強可以任財。男友跟她的關係會變得密切。

這也是她的期待。

由於她命喜木火，所以她生命中的男人最好是肖馬（午）、肖蛇（巳）、肖兔（卯）、肖豬（亥）或肖虎（寅）。

其中以肖馬（午）最好，因為午和時支未合化火。

肖蛇（巳），巳與日支申化水。

肖兔（卯），卯與申化金（卯為乙，申藏庚，乙庚合化金）。

至於肖虎（寅）則與日支申相沖。

「我現時的男友是屬虎的。」

「既然是屬虎的，那麼，你的兄弟中會撞車，不然就是男友一方會撞車方合此局。」

「他們都撞了車，我哥哥和男友都分別撞了車。」她驚訝地望着我，追問是如何推算的。

就是寅申沖。她是庚金，那麼申是她的哥哥。寅來沖申。其兄在車禍中撞毀一棚牙齒，寅主筋骨。

肖虎的男友也撞了車。我說，撞死了人。她點頭。

死者是男性。她點頭。

為什麼是男人？因為申是金，寅是木，金剋木，金是木的官殺，官殺是男人。肖虎的男人就是寅，寅去撞死申，故此，斷其死者是男性。

如果，其兄撞死人則死者會是女性。因為申（其兄）去撞死寅木。金剋木為財，財為女性。

為什麼有撞死人的推斷？因為她的命局中申金旁有兩個丑土，丑是金的墓。有墓，何來不會死人呢？

既然是金墓，所以死的是金，是寅（其男友）撞死的。

我還推算：死者死時頭向西南，腳向東北。

為什麼？因為申是未坤申，西南方；寅是丑艮寅，東北方。

撞車時時速是七十公里。因為申是七。

當然，這兩點推算無法證實。

舞小姐的八字

乙巳
辛巳
丙寅　日元
己丑

大運：
壬午　丙戌
癸未　丁亥
甲申　戊子
乙酉　己丑

這是一個舞小姐的八字。這個八字有什麼特別？為什麼這個八字的主人會是舞小姐？要回答這些問題，我們該從這個八字的強弱和喜忌入手。

丙火生於巳月，火旺。年支也是巳。丙自坐長生，可以斷定是強火命。本命不喜火，亦不喜木，因為木能生火。八字裏的己丑土泄火元氣生金（辛），是傷官生財為用，這是八字裏的用神，以土為用。

其實，這樣一個火強的八字，首要用水調候。水是第一用神，可惜八字裏丑土中的一點癸被寅中藏的戊合去，化為火（丑藏己辛癸，寅藏甲丙戊，甲己合，丙辛合，戊癸合，所以丑與寅合）。

全局無一點水，這個八字卻極需要水。八字裏沒有要用的「用神」，要待大運、流年、流月、流日、流時的出現，也可以從現實生活中去尋找。例如到北方去生活，因為北方屬水。在晚間（午夜至凌晨）工作，為什麼呢？因為亥子丑是北方水，亥子丑不就是晚上九時至翌日凌晨三時嗎？這是舞小姐工作的時間。

如果，金也是喜用神，下午就可以上班，因申酉戌屬金，申時由下午三時開始。

這個八字的官星癸水藏在丑土裏，丑土是丙火的傷官，官星藏在傷官裏，不能任正室。天干遇癸水正官，被己土所混，見壬水，是丙火的七殺，並非正官，壬是別人的丈夫（壬是丁的正官，丁是個女人）。所以，這條命不能「坐正」。

癸水運開始當舞小姐。申酉行財運。以土為用，可以買樓置業致富。

申運，與年支、月支兩巳化水，金是財，水是官，由財化官，會因財而招惹麻煩，因財惹官殺。

乙運，乙沖辛生丙火，制沖用神生忌神，不吉。

酉運，財旺吉。晚年轉入北方（亥子丑）水運，吉。

戴安娜與查理斯

一九八一年七月二十九日，全世界為一段童話式的婚姻而欣羨，那就是英國查理斯王子與戴安娜大婚之喜。

一九九五年十一月二十日，戴妃在專訪中，承認對丈夫查理斯不忠，世界矚目。其後，英女皇希望二人離婚。戴妃同意離婚，雙方在條件上展開談判。

查理斯跟戴安娜曾經被視為金童玉女。讓我們從他們的八字去追尋一下婚變的端倪。

查理斯的八字：

戊	甲	辛（日元）	丁
子	子	未	酉

大運：

8	18	28	38	48	58	68	78
乙丑	丙寅	丁卯	戊辰	己巳	庚午	辛未	壬申

辛金生於子月，水冷金寒，丁火暖身為喜。丁火通根於未（未藏己乙丁）。甲木生旺丁火。十八歲進入寅卯辰東方木運。

辛金弱命，食神當令當旺，思想會偏於一方。

兩子害一未。未為夫妻宮，年、月支害日支，預示四十六歲前婚姻出現危機。

甲木為正財，妻星。甲坐子，子為印，坐印星舒服，四十三歲入辰運，兩子會辰，子辰、子辰會成兩個半水局，辰酉又合金生水，水泛木漂，木漂即妻離。

戴安娜的八字：

		大運：		
	辛丑	2 乙未		42 己亥
	甲午	12 丙申		52 庚子
日元	乙未	22 丁酉		62 辛丑
	丙子	32 戊戌		72 壬寅

傷官命，乙木生於午月，午未會火，天干透丙，乙木弱命，喜水制火生身，喜木

幫扶，以水木為用。

丑午害，子未害，地支不穩。夫妻宮未與午會合，卻又被子來害。

命中無官星，無官論殺。辛金七殺透年干。

午月辛金，殺強身弱，幸得坐下丑土化殺生身。二十七歲進入酉金運，酉丑會金局幫身，身旺就能任財，在這個大運結婚。

以辛金論，甲乙正偏財雙透。乙木是戴安娜，那麼，隔在乙木戴安娜和辛金查理斯中間的甲木就是卡米拉了。

卡米拉是查理斯的舊情人。按排列次序，辛先有甲，才到乙，先與甲（卡米拉）有戀情，然後才與乙（戴安娜）結婚。

乙木陰柔，甲木陽剛，甲大於乙，所以，查理斯的舊情人既老且醜。

甲坐下是午，是傷官，所以，甲（卡米拉）是有夫之婦。

乙（戴安娜）以水為用，時支子水為用神，子水要辛金生，所以，乙木也喜愛辛金，辛金七殺，情夫也。戴安娜喜歡偷情可以從命理上去探求出原因。用神子水要辛金去生旺，戴安娜要七殺，情夫才有生趣。

乙亥年，乙幫身，亥子丑合水局，亥未拱卯木局，亥與午合，多合多情，緋聞又將成為傳媒的焦點。

為泰國警官批命

一九九四（甲戌）年十二月中旬到泰國去還神，並不準備會客。不過，一位泰籍女士十萬火急的找我。就在上飛機前，她找到了我。她是為弟弟來問前程。其弟是泰國警界第二號人物，惹上了大官非。

辛巳
庚寅
日元 丙午
甲午

大運：

8 己丑	48 乙酉
18 戊子	58 甲申
28 丁亥	68 癸未
38 丙戌	78 壬午

丙火生於寅月，寅是丙的長生。地支兩午一巳皆是火，寅午又半會火局，時干透偏印甲木。滿盤比劫，又透印，身旺極了。

以庚、辛金為用。

甲戌（一九九四）年，甲來沖庚，庚金劈甲又引出丁火，寅午戌會火局，烈火熊熊，大凶局，被拘捕，關在牢房，「痞籠」，不准人探訪。

坐了三十九日牢，在九月前釋放，因為九月戌，戌是火庫，火入庫，其烈性減弱。本造忌火，於火入庫之月出獄。

其姊急於為其問前程，我答覆她，由一九九四年十二月八日內三十天，她的弟弟可以申請復職。

一九九五年二月五日後，官非了結，渡過比劫，可以復職。

其弟已經交入酉運，是好運，最差的流年是一九九四甲戌年。

為什麼十二月八日後可以申請復職呢？

因為，十二月七日大雪交入十一（丙子）月，丙與原命年干辛金合，丙辛合化水。子沖日支及時支的午。丙辛化水，子水沖去午火，化忌為喜，沖忌為喜，轉凶為吉，所以，交入十一（丙子）月有轉機，可以申請復職。

一九九五年二月四日立春，踏進乙亥年，乙與月干庚金化合，乙庚合化金為喜神，地支亥與寅合，亥沖巳、亥與午合。巳與午皆是忌神，被亥沖、合，所以，乙亥年吉利，官非會了結。

酉運吉，巳酉半合金局，是命中喜用；乙亥流年吉，亥是壬水，是丙火日元的殺，身強可以任官殺，所以，乙亥年可以復職。

我告訴那位女士，有兩位貴人幫助她的弟弟。

「丙丁豬雞位」。丙的貴人是豬（亥）和雞（酉）。

其弟現在行酉運，就是貴人運，問前程的時候是甲戌年的乙亥月。亥是另外一個貴人，明年乙亥年，也是貴人年。

兩個貴人，一個是商人，一個是當官的。

如何看得到呢？

以丙日元來說，酉金是財，財就是商人。

亥是壬水，是丙火日元的殺，所以，亥這位貴人是當官的，極可能是警察，或者是軍人，為什麼？因為亥（壬）是丙的殺，並不是官。

兩個貴人以商人的力量較大，因為，酉是大運，大運的力量較大，而且，酉與巳（年支）化合為半金局，化忌為喜，既然化成半個金局，所以力量大。

這個酉（商人）貴人為本命化解官非要花費一筆金錢，因為酉與巳化為半金局，是酉的劫財（半）局。

那位泰國女士連連點頭，證實是有人替其弟弟斡旋，一位是軍方有權勢的人，另一個是富豪，的確使了錢。

我告訴那位泰國女士，要其弟提防同僚的陷害，對他不利的人有三個。

本命乃丙火強命，比劫為忌，地支的一巳兩午就是比劫。甲戌（一九九四）年，寅午戌會成火局，同僚聯手來對付他。

還該小心前妻（經已離婚）會帶給他很多麻煩。因為妻宮（日支）與時支為午午自刑，而且妻宮午與月支寅化半火局，妻宮化為忌神，妻子會帶來麻煩。

本命由五十三歲至五十七歲酉金運是吉運，但是五十八歲至六十七歲的甲申運則大凶，我批他必然會再犯官非，甚至會有生命危險。

因為，大運甲來沖月干庚，申沖月提寅，是為天剋地沖。
庚金為用神，大運甲來沖庚金，庚金劈甲又引出丁火，是為凶運。
此人曾在四十三歲至四十七歲的戌運殺人，戌是火庫，是墓，據了解曾殺賊。
甲戌（一九九四）年，也是火墓年，他是涉嫌殺人而被拘禁。
此人性格暴烈、囂張，甚「寸」，原因是丙火強命，自坐陽刃，午是丙的陽刃，午午（日支、時支）自刑（丙祿在巳）。此人絕無慈悲心，趕盡殺絕，今次被拘控，是他連警界的頂爺——警察顧問也不放過所致。而且，平日「牙齒痕」多，於是，惹來同僚的報復。
此人對金錢和女人都是「監粗嚟」，絕不手軟，因為庚辛的偏正財皆被困，並無出路。
（注：本命的官非由一宗車禍開始，車禍中一名少婦和兒子死亡，初時，法醫官判斷二人是死於車禍，並無可疑。其後，匿藏了很長一段時間的「著名珠寶商」現身，追查其妻兒的死因，證明其妻兒在車禍前已經被殺，車禍只是一種掩眼法，最強而有力的一項證據是一張在車禍現場拍得的照片。在

照片上看到女死者的褲鏈並未拉上，說明女死者死亡時並沒有穿褲，是移屍上車時，胡亂地被人套上褲子，但是，忙亂中並未拉上褲鏈。）

兇殺案被揭發，牽連甚廣，案情很複雜。

一名在中東某石油王國打工的泰國人，偷了皇宮不少珠寶鑽石，女死者的丈夫（珠寶商人）是接贓人。石油王國迫令泰國追查。珠寶商人失踪。商人妻兒被本命（丙日元警方二號人物）拘捕調查，卻被另一個警方高層人員暗中接去審問，其後，被發現在車禍前已經被殺……

於是，本命涉嫌殺人，並且，尋回的贓物又懷疑被人「落格」。

「你不單為你的弟弟擔心，亦為你的女兒擔心。」我對那位泰國女士說。

「是呀。」她嘆了一口氣，「你懂得看相。」

她以為我是從她的面相上看出的。我向她微笑一下。我看着她弟弟的八字繼續說：「你的女兒快要結婚，是明年（乙亥），不過，你的未來女婿已經有一子一女。」

「對呀！」她睜大了眼睛看着我，兩隻手掌不期然抱着自己的臉龐。

「大師，你真是神！什麼都給你看到了。」

我是如何看出來的？

這位泰國女士的弟弟日元是丙火，那麼，作為她姊姊（比劫）當然亦是火。

既然她是火，那麼，她的女兒就是土了，她的女婿（女兒的丈夫）就是木。

其弟弟的八字裏，月提是寅木，我就是用寅木來看她的女婿。

在寅上是庚（月干），庚旁是辛（年干），是寅木的殺和官，男命以官殺為子女，所以，這寅（女婿）已有一子一女。

女婿的女兒↓辛

女婿的兒子↓庚寅↑女婿

丙

明年是乙亥（一九九五）年，乙是土的官殺，亥來合寅化木，合化官殺，我斷其女兒會在乙亥年結婚，果然，事實跟我推斷的吻合。正是由於她的女婿是再婚人，並且有兩名子女，所以，她為女兒擔心。

我如實地告訴她，女兒的婚姻「唔到尾」。

因為年支巳與月提寅是相害。巳寅相害，是巳來害寅。巳是火，火就是她本人、女兒的母親，是她不滿意這位女婿，她不贊成女兒這段婚姻。

女婿是位軍人，因為寅上是庚殺。

我繼續印證她家族的情況。

她的父親除正妻外，還有情人。

「父親的確有不少女人。」

有個女人是在她母親之前，她的母親，當然也是弟弟的母親，就是八字中的時干甲木。甲木緊貼丙火日元，生丙火。

偏財庚金為父，庚金坐下是寅木（內藏甲木），這就是另外一個女人。在月提，按次序，月提先於時干。

母親↓甲	丙	父親↓庚	●
●	●	寅 ↑父親的情人（甲）	巳

（巳、寅：害）

她點頭說：「實不相瞞，母親是父親的第二任妻子。」

巳寅害，年支巳害月提寅，第一任妻子被「害」而離去。

我說，她母親專橫，在家裏活像一個司令。她點頭。

甲木是她母親，甲祿在寅，甲木植根於月提，身強，滿盤火（丙、巳、午、午）是甲木的傷官，其母親是身強傷旺，如何能不惡呢？

她有一個叔叔（即父親有一個弟弟），庚金是父親，那麼，庚旁的辛金就是其叔

（父弟）。父親和叔父皆是當官的，庚坐下是寅中丙火，寅是丙長生，丙是庚的殺；辛坐下是巳火，巳內藏丙，丙是辛的官星。

她共有五兄弟兩姐妹。一丙、二午、一巳合共四火，寅午合火又添一，合共五兄弟。既然午與寅合，所以寅木是姐妹。一寅（月提）、一甲（時干），於是一姐一妹。

「家族中必定有醫生。」我說。

「我的丈夫是醫生。」她說。

丙火代表醫藥，我以此為推算。

她把女兒的出生時間告訴我，其八字是：

丁未
庚戌
乙亥　日元
丁丑

大運：

1 辛亥	41 乙卯
11 壬子	51 丙辰
21 癸丑	61 丁巳
31 甲寅	71 戊午

由於趕着上飛機，我簡批如下：只談姻緣，她的女兒會結兩次婚。

乙庚合，乙是其女兒，庚是乙的官星、女兒的丈夫，乙庚合，兩相親。

乙亥年可以結婚，不過，只能有三年夫妻緣分。因為到歲入甲寅運，其夫會另結新歡。因為，甲來沖庚，一沖就把原局乙庚合沖開，甲是庚的偏財，即是庚（夫婿）的另外一個女人，甲寅運柱，甲坐寅祿，比原局的乙亥要強。

四十一歲乙卯運，再有機會結婚，因為乙庚再合。

擇日開刀產子

為人擇日開刀產子是一件極其困難的工作，所擇的日子就是將來小生命的八字，也就決定了一個人的命運。

作為一個負責任、有學養的玄學家，擇這一個日子，要那新生命能健康成長，要兼顧他將來的學業、事業、財運、姻緣、家庭，還要顧及他的父母婚姻和合，健康長壽，當然，能旺父母，使父母富貴就更加完美了。總之，要求要盡善盡美。

通常，為客人擇日產子是被指定在一段時間內的，例如給你十五日。以每日十二個時辰來計算，十五日共有一百八十個八字，要從一百八十個八字中揀出一個正選、一個副選，是一項十分繁重的工作。

乙亥年年尾，有一位富豪來找我，他拿出一個八字給我看，説是一位高人為他擇的日子，讓他太太開刀產子。

高人所擇的八字是：

乙亥
戊子
戊戌（日元）
庚申

經掃描知道，將要出生的是一名男嬰，這就是那名男嬰的八字。稍懂八字的人，都知道這個八字是財多身弱。

戊土生於子月，水旺財旺，並且，亥子半會水局，時落庚申，泄土而生水，這樣的弱命如何能任財？財主財富，主父，主妻，不能任財的八字又怎能要呢？

再看一看這個八字的大運：

丁亥　丙戌　乙酉
甲申　癸未　壬午

陰男大運逆行，由北方水運至西方金運，都不是喜神運，要到年老才進入南方火運。

我嚴肅地告訴那位富豪，不管這個八字是什麼高人所揀的，一定不能用。

富豪出示另一個八字：

乙亥
戊子
日元 **戊戌**
癸丑

與上一個八字是同日，選了丑時，地支亥子丑會水局，水更大。

戊土生於子月，地支成水局，戊癸不能化火。

又另一個八字：

乙亥
戊子
辛丑 日元
丁酉

辛金生於子月，亥子會水，以丁火為用。可惜丁火無根，用神無力。辛金以甲木為正財，甲藏在亥水中，被子水合化，寒天冷水無用。父無力。

再另一個八字：

乙亥
戊子
辛丑 日元
丙申

丙辛不能化水，因為戊土剋水，破格。

丙官無力又勾引辛化水，假設丙辛合化水，水以火為財，為父，丙火被合化，沒有火，哪來財？父星無力。

我為這個客人擇了一個日子：

	乙亥
	戊子
日元	戊戌
	戊午

三朋（三戊）上天干幫身，地支午戌化火為印生身，身不弱可以任財（亥子）及官（乙）。

午戌會火，子亥會水，貪合忘沖，互不沖擊又旗鼓相當，並具互為喜用，午戌會火為母，子亥會水為父，父母恩愛。

亥子水旺父強，可以任午戌財，父有錢。初運丁亥，丁印乃係亥財，父行財運。

土主信，以印為用，為人信實、孝順，尤其愛母親（喜印也）。

財非喜用，所以不愛財，不愛女人，絕對不會因錢財女人而生事。

地支兩合，人緣佳。

以印為用，乙木官星生印，官星有情，子女孝順，當他（本人）行印運時，就是子女行食傷運，乙木坐亥又生於子月，乙木強可用食傷，子女讀書有成。

本命以火土為喜用，只有酉申金運稍遜，其餘各運皆喜用，運入南方火，他就會變成大富翁。

事有湊巧，一個星期後，從報上得悉，那位大美人明星的女兒出生的日子跟我擇的日子相同，不過，時辰不同。據説，是擇日開刀生產的。

這個小女孩的八字又如何呢？

乙亥
戊子
戊戌（日元）
壬戌

大運：
己丑　癸巳
庚寅　甲午
辛卯　乙未
壬辰　丙申

戊土生於子月，亥子半會水局，天干透壬水，這個八字水旺，天寒水冷，以火為用。可惜火藏於戌墓中，只能以戊土幫身。水為財為父，本命土多，天干二戊，地支二戌，土是水的官殺，水為父，父行官殺，父以食傷（乙木）制殺。

初運己丑，天地同是土，父行官殺運。如果是午時，午戌化火，火為水的財，水旺可任火財，父就財旺。火為印、為母，可惜，火（印星）入墓。

乙木為官星、夫星，天寒水冷不生木。土多，土為木財星，乙木官星屬身旺。四十一歲行南方火運，火旺泄木氣，印旺泄官氣，官星無力。

原局財多，不喜愛財，財為父。母星入墓，官星乏力。這個八字未能兼顧父母、夫，只有她自己好。

水旺土崩

一九九五年十二月初，一位父親拿了他兒子的八字來給我算。

		大運：
辛亥		6 戊戌
己亥		16 丁酉
戊午	日元	26 丙申
丙辰		36 乙未

那位父親說，他想退休，把生意交給這名孩子。請我替他算算命。我一看，眉頭就皺了。

戊土生於亥月，水旺，年支又是亥。年干辛金泄土之氣，是為弱土命。以丙午火生身，己辰土幫扶為用。

一九九六（丙子）年入丙申運，天干丙辛化水，地支亥子、亥子半會水局，子午沖，申子辰會水局，這樣，地支一片汪洋，全是水，水旺沖土，堤決水崩！

子午沖，時干丙火失根。我不知該如何對那位父親説。

「怎樣？」那位父親問。

「過了明年再來算吧！」

「為什麼？」那位父親緊張地追問。

「明年，丙子（一九九六）年，你的兒子要小心遇溺。」

「哦？……」那位父親一下子露出了痛苦的表情。

「他是否有三兄弟？換言之，你有三個兒子。」我問。

那位父親點了點頭。命局中戊、己、辰三土，就是三兄弟。

「他有一位弟弟已經不在？」

他痛苦地點頭。

「是浸死的？」

他說，是，八年前在泳池浸死的。

浸死的應該是己土。己土自坐亥水，又被天干辛金泄氣，辛金又生坐下亥水。兩亥水相連，己在被水所傷——浸死。

兄弟↓辛亥
兄弟↓己亥
●●
●辰↑兄弟

「他的另一個弟弟今年十一月也該有事……」

在加拿大，剛跌爆了膝頭蓋，要做手術。」

第三個兒子是辰土，乙亥年，亥與午合，合去了午火。十一月（戊子）子辰會水，出了問題。

這個不幸的父親，我只能寄予無限的同情和安慰。

死亡

癸	壬	壬	庚
巳	戌	寅	子
		日元	

大運：

7	17	27	37
癸亥	甲子	乙丑	丙寅

這是一位女士的八字，她在一九九四年（甲戌）逝世，去世當日四柱是：

甲	戊	庚	壬
戌	辰	寅	午

本命壬水生於戌月，土旺殺強，年支巳火生戌土，月提與日支寅拱午火局，日支寅木泄身，是一個弱水命，身弱喜生扶，幸有天干庚金生身，壬癸透干相扶。

既然喜金生水扶，所以，金水不能傷。

甲戌年，甲來沖庚，年干甲木直沖其用神庚金，使庚金無法生旺日元壬水。

戌年，戊土當旺，年戌與本命月提戌兩土齊剋壬水，又無庚金通關轉化，形成強土剋水的局面。

交入三月，戊辰月，戊土透干，戊癸化火，戊剋壬水，已是大凶！

庚寅日，可知是庚金絕於寅。在庚金用神絕的日子，至午時，寅午戌會火局，強火熔金，生旺忌神土，用神絕，忌神強勢，去世。

得財・喪兄・男友官非

這是一位女明星的八字，說出名字無人不識。不過，我只講命理，不必說出名字，故以N小姐為代號。

	壬	寅
	壬	子
日元	乙	巳
	癸	未

大運：

4	辛亥	44	丁未
14	庚戌	54	丙午
24	己酉	64	乙巳
34	戊申	74	甲辰

孤單命

乙木生於子月，天寒水冷，以火暖身為用。木能生火，也喜愛。以木火為用。

水是木的印星，是母親，天寒冷水為忌，母親是忌神，不喜愛母。金是木的官星，是丈夫，金能生水，故金也是忌神，官星為忌，婚姻不美。

土為木的財，財為父，身弱不喜財，不喜父。

父、母、夫皆不是喜神，是為孤單命。

得財

乙亥年，乙木幫身，亥寅合木，亥未拱卯木局，身強可以任財，原局未土為財。亥未拱合財，可以得一筆八位數字的財。

八這個數從何而來？是奇門遁甲數。訣云：「乙庚丑未八」。

惶恐不安

以火調候暖身為用。火是木的食傷。火不透干，只在地支巳中藏丙火，寅中藏丙火。所以，為人低調，雖為明星，但是，並不愛出鋒頭。

乙亥年，巳亥沖，用神受沖，巳為火，為心，心為神。巳被亥沖，心被沖，心驚膽戰，終日惶恐不安，關門也夾傷手。

喪兄

乙亥年六月（農曆五月），其兄死於車禍。年支寅木是兄。N小姐是乙木。寅是甲木，又在年支，所以，寅是兄長。

乙亥年，亥與寅合木。現行酉運，與日支巳合，巳酉合半金局。

寅亥合木與巳酉半金局是相剋，金靠月提的子水通關。金生水，而水生木。當子水失去，沒有水通關，金就剋殺木。

農曆五月是午，午沖去子水，其兄寅亥合的木被巳酉合的金所剋，死於車禍。

男友官非

N小姐二十九歲與男友同居。

男友姓梁，N小姐請我以「梁」去推算男友運程。

梁字是水木姓，乙亥年是水木年，是為伏吟，「反吟伏吟淚淋淋，不死自己死他人」，說的是總有傷心事發生。

梁字上水下木，只有「三刃木」是印木，所以，梁字是癸卯。

癸卯與十月丁亥，上沖下合，亥卯相合，合則有情，不會有事發生。

十一月戊子，就不同了，癸卯與戊子是上剋下刑，子卯刑、子來刑卯。子卯是桎梏之刑，十一（戊子）月會犯官非，有可能被拘控。

N小姐急忙取出男友的八字，因為，他確有犯官非的可能。

丁酉
癸丑
丁未　日元
乙巳

大運：
2 壬子　32 己酉
12 辛亥　42 戊申
22 庚戌　52 丁未

丁火生於丑月，地支巳酉丑會金局，未土又泄丁火，是為丁火弱命。以木火為用，忌金水。

酉金是丁火財，酉與丑半金局，丑土生酉金，辰戌丑未是墓庫。埋在地下是沒有光的，由丑墓生的金財，是「不見光的錢」。其男友是撈偏的，所搵的錢「見不得光」。

乙亥年，乙生旺丁火，但是，亥沖巳，沖去巳火用神，亥丑又拱子，到了十一月子月，亥子丑會水局，酉丑半金財局生旺水官，便會惹官非，是因財惹官非。

一九九六（丙子）年，子破酉，子丑合土為傷官，子未害，也不是好流年。

二十多年痔患

一九九五（乙亥）年春茗，我為到場的嘉賓即席批八字。

我特別喜歡現場批八字，面對着一百幾十人，反應強烈，特別開心。

我在上八字課時，也經常為學員即席批八字。當然，要那位同學不怕把私隱公開。我是有話必說，毫無保留，現場印證，使各學員能活學活用。

春茗開席前，近百名嘉賓圍坐在講台前，聽到我要即席批八字，反應十分熱鬧。

以下是其中一個八字。

乙亥
丁亥
辛丑　日元
庚寅

大運：

4	14	24	34	44	54	64	74
丙戌	乙酉	甲申	癸未	壬午	辛巳	庚辰	己卯

男命，乙亥年剛好是一個甲子。

辛金生於亥月，水冷金寒，丁火暖身為喜，丁火通根於寅，以火生土，土生金為用。

三十四歲入巳午未南方火運，開始當老板，雖然癸水沖丁，但是癸水先生旺乙木，乙木生旺丁火。

二十四歲甲申運，甲木也可生旺用神丁火，可惜地支申沖去寅，而且申亥害，所以，還是到南方火運方能興發。

乙亥年，乙木生旺丁火。亥與寅合化財。六十三歲退休後，晚年行金木運，財自天來。

本命身弱，身弱不能任財，行火運暖身可以搵錢，但是，未能由自己擁有，是富屋貧人。

錢由妻管，妻子有錢有樓。寅是妻，寅丑合，丑是土，是寅（甲）的財，丑是土，土是地，是樓房，丑寅合，是財與妻合。寅在亥月是為強木，身強可以任財，其妻擁有錢財和樓房。

男命以官殺為兒女。火是金的官殺，是他的兒女。原局火弱水強，兒女是殺強身弱。不過，三十四歲入南方火運，兒女得比劫助旺而能任殺有成，在六十四歲前巳火運，兒女已經出身。

家族中有六個人是醫務人員，因為巳亥是天醫。八字中有亥、亥、丑三字。如何看出有六人？其數如下：亥、亥、丑三人。亥丑、亥丑拱合是二人，丑與寅合又是一人，合共六人。

訣云：「辰戌巳亥入廟門」，甲戌年開始坐禪。

二十多年受痔瘡折磨之苦！

當我批出這一點，那位嘉賓當即目瞪口呆！

「連我生痔瘡也看得出？」

當然看得出，因為行三十年的南方火運，火旺生膿瘡，是極嚴重的痔瘡。

嘉賓證實，由三十九歲入未運開始至今一直要用甘油條，苦不堪言。

我即席為他寫了一首打油詩：

「空將大痔生肛門，使君練功淚如水。
唯把油條通渠道，臭到寃時臭到老。」

惹得哄堂大笑。

現在仍在「巳」火運，所以，這痔瘡仍然肆虐，叫苦連天，醫生又不肯為他做手術。

為什麼？因為巳害寅，寅是醫生，運巳害寅，所以，醫生不肯做手術。

乙亥年申月轉機，乙亥年，連同命中二亥是三亥沖巳；申月，申合巳，又沖又合，把寅釋放出來，到時，醫生會答應做手術。

丈夫有二奶，她有情人

坐在我面前的是一位女律師。我看着她的八字：

	癸	卯
	己	未
日元	癸	未
	丁	巳

大運：

0 庚申　40 甲子
10 辛酉　50 乙丑
20 壬戌　60 丙寅
30 癸亥　70 丁卯

一九六三年出生，乙亥年虛齡三十三歲，正行癸亥運。

「你的丈夫有二奶，不過，你亦有婚外情人。」我直言不諱。

「是。」她也直認不諱。她還希望跟丈夫離婚，與現在的情人結婚。

癸水生於未月土強，天干透己土，是為七殺格。自坐未土，時柱丁巳火生旺殺土。

年支卯木泄水生火。是為弱水命。

喜金水，以年干癸水為用。

一路行金水好運，原局土旺水弱，殺強為忌，丈夫是忌神。不過，行金水運旺身，身旺可以任官殺。

原局共有三個土（殺），年支卯與月提未半合木局，是為癸水傷官，與己相見，傷官見官局。

其中一未土合化傷官，還餘下一己一未，原局已經顯示有二夫。金生水旺，身強就可以任官殺、敵傷官。什麼是傷官？就是做出傷害官星（丈夫）的事，既有丈夫，亦有情人。

乙亥年，亥卯未會木局，乙木透干。地支傷官成局又透干。乙木直剋己土官星，丈夫豈能無災？她提出與丈夫離婚。

原局土旺，土為殺星，土旺丈夫身強。身強可以任財。原局年干癸水和日干癸水，共二財。

三十歲入癸亥運，一九九三年癸酉年，巳酉會半金局生旺水，丈夫在外邊有了另一個女人。

乙亥年，傷官乙透干，事情就揭破。透干就是原本埋藏的東西露出來。丈夫的二奶打電話到她家，找她丈夫，卻被她接聽了。她質問丈夫，丈夫說，與那個女人感情很不錯！幾乎把她氣死！

癸亥運，地支亥卯未會木局，木為傷官，為水的子女，外面的女子生了個女嬰。

丈夫有二奶，她自己亦有情人。下面是情人的八字：

	甲午
	庚午
日元	**丁未**
	庚戌

大運：

5 辛未	35 甲戌
15 壬申	45 乙亥
25 癸酉	55 丙子

丁火生於午月，年支午火，午未會火，午戌會火。庚金劈甲引出丁火，全盤烈火，

火旺至極。庚金無根，烈火熔金，庚金無力。

急需要水調候。

欠水通關，烈火剋金。

十五歲開始行金水運，行西方金運，財旺，身強可以任財。一九九二（壬申）、一九九三（癸酉）賺錢以億計。

一直行金運，金財為父，所以父健在。原局火旺，為金的官殺，行金運助旺財星，父身強能任官殺，所以，父親是高官。

原局兩庚伴日元丁火，月干庚金被年干甲木所沖。至三十五歲甲戌大運，再來一甲沖庚，沖走一妻，另一女人登場，就是坐在我面前的女律師。

丙子年，子水沖午，害未，喜神沖害忌神仍是好運。

由四十五歲進入北方水運，調候有功。

官星化傷官

丙午
壬辰
日元 甲子
己巳

大運：
9 辛卯
19 庚寅
29 己丑
39 戊子

這個八字的主人是一位美麗的蘇州婦人。

這個八字該如何看？如果按照書上的理論，必然會爭論不休，沒有答案。

甲木生於辰土，時干己土，甲己合而化土。書云：甲己合土，逢龍（辰）可化。不過，甲坐下是子水，子辰半會水生木，月干遇壬水，貼身生木，到底甲己合土化與不化呢？該以木來看，還是以土來看呢？

如果以木來看，是強木還是弱木呢？甲生辰月，辰乃土也。但是，辰是水庫，又有木的餘氣，子辰會水生身，干又透偏印，不過年柱丙午，時落巳火泄木。到底是強還是弱？

我看八字不在這些問題上苦纏不清，看八字得一下子抓住關鍵。

什麼是這個八字的關鍵？就是「官星化傷官」。這樣，嫁夫變了嫁瘟神，原來是扶手棍，變了攞命藤！

本命甲木日元，辛金是官星，是丈夫。現在，甲己合而化土，那麼，辛金就成了土的傷官。原先的官星辛金，變為傷官，就是「官星化傷官」。

十九歲，庚寅運，庚是殺，寅是比。入殺運，這位美麗的蘇州姑娘結婚。

庚是殺，並不是官。她不知道，庚坐下寅，寅是比肩，另一個甲，她所嫁的丈夫是有另外一個女人的。

她丈夫的另外一個女人，是別人的妻子。因為寅上坐庚，庚就是那個女人的殺星、夫星。當她知道一切都已經太遲了。因為，她已經生了兩個孩子。

二十九歲入己丑運，以甲木來看，是兩己爭合甲，己為財，財來爭合。可惜，甲木弱，身弱不能任財，行財運，破財，財破無以生官。

如果用「甲己合化土」看，己土便是劫財。財被劫，破財，無財生官。

這位蘇州婦女哭哭啼啼地說，丈夫不給家用，也不要她生的兩個孩子。

丈夫說，任何女人都可以生仔。

唉！官星化傷官，豈會有好丈夫呢！

命好不如運好

八字最好是五氣流通，生活自然舒暢一點，任何一氣（某一個五行）太強，都不是好事，並且，命好不如運好，運好可以救命於狂瀾，運凶便會搗亂命局的和諧。

以下是一個女命：

辛未
壬辰
日元 丙申
戊子

大運：
23 乙未
33 丙申

她在乙未大運喪夫，丙申大運死去女兒。

為什麼？

丙生辰月，地支申子辰會水局，時干透出食神戊土，原局剋泄交加，是為丙火弱命。殺強旺，可惜，透出食神制殺，所以，弱命不能從旺殺。

忌金水，喜木火。

她在乙運結婚。乙木正印，有印運生身，身轉強而任殺，故此能結婚。可是，踏入未運，在己未年、丁丑月、丁未日，甲辰時，其夫病逝，皆因大運、流年、流月、流日、流時組合強勁的傷官。雖然，原局的官星亦強，但是，仍然不敵傷官強勢。

丙申大運與日柱伏吟。有云：「反吟伏吟淚淋淋，不傷自己也傷人」。

丙申一運，丙比肩生旺日元，又生旺食神制殺，仍是喜運。可惜，踏入申運，就非命局所喜了。

壬申年，壬水傷丙火，金水年，沖泄戊土。申子辰會水局，己酉月，辰酉合金，天干食神變成無根。

女命以食神為女兒，剛剛中學畢業的女兒突然腦缺氧入院，數日後不治。

活着受苦

她哭成了淚人。我把一盒新的紙巾放在她的面前。她拿丈夫的八字來給我算。

甲辰
甲戌
日元 甲午
丙寅

大運：
8 乙亥
18 丙子
28 丁丑
38 戊寅

甲生戌月，地支寅午戌會火局，年支辰土，時干透丙。雖然丙甲透干，仍然是甲木弱命。

地支寅午戌會火局，天干又透丙火，比肩寅木亦生火，全局烈火熊熊，急需水來調候，可惜全局只有一點癸水藏於辰土中。

早年行北方水運，有水調候。但是二十八歲入丁丑運，丁火大忌！

一九九二壬申年，一九九三癸酉年，兩年金水還可以。至一九九四甲戌年，戌來沖辰，變成二戌沖辰，辰中的一點癸水全被掩了！

一點水氣都沒有，木無水生，何來生氣？

就在甲戌（一九九四）年無端端患上腎病，每天都要洗腎。

「壬屬膀胱癸腎臟」。癸水主腎，癸水受傷（強火乾水，強土掩水），就是這樣，患上腎病。

一九九五乙亥年，一九九六丙子年，都是水的流年。但一九九七丁丑年，丁火透干，生命會有危險。

三十三歲入丑土運，丑是濕土，丑藏己癸辛，尚可久延殘喘。

三十八歲戊寅運，戊土掩水，寅午戌又會火局，如何渡過？

今後活一天是受一天苦。

老婆走路

一位男士氣沖沖地走進我的辦公室，「個衰婆走左路，佢梗係去勾佬！」

那名男士要我算他妻子的八字，要我告訴他，走了的妻子是「勾佬」。

他妻子的八字是：

		大運：
	壬辰	32 甲辰
	戊申	42 癸卯
日元	壬辰	52 壬寅
	庚子	62 辛丑

壬水生於申月，地支申子辰會水局，天干透壬水、庚金，是為強水命，靠一點戊土制水為用。

戊土為用神，戊土是壬水殺星。

現行癸卯運。

一九九五乙亥年，乙木剋去戊土，地支亥子會水，「大水」無制。夫無力制妻，妻子離家而去。

戊土被乙所剋，傷官制殺，無官無殺，何來奸夫呢？

「你老婆走左係真，不過，並無奸夫。」我說。

「無奸夫!?」

我說他老婆沒有奸夫，並不合他意，他竟然不滿意。「你唔好呃我，個衰婆無奸夫!?」

我解釋，沒有需要欺騙他。我說，他的妻子以戊土為用，是很愛他的，因為他就是用神，一點戊土就把水制住。戊土制水，丈夫平日肆無忌憚。今天，戊土受剋，水失制，妻子討厭丈夫，於是離家而去。

「其實，你出面另外有個女人，你想惡人先告狀。」我直斥其非。

他默認。

他妻子行癸卯運，癸來合戊，癸為戊的財，有財來合。戊癸合化火，火生旺戊土，戊土可以任財，所以，斷其另有外情。

妻子會不會回家？丙戌月有可能回家，丙火生旺戊土，戊土通根於戌。

如果丙戌月不回家，那麼就要等到丙子（一九九六）上半年了。

苦命人

這是一個苦命女人的八字：

丁卯
丙午
日元 甲戌
己巳

大運：

9	19	29	39	49	59	69	79
丁未	戊申	己酉	庚戌	辛亥	壬子	癸丑	甲寅

她生於一九二七年，乙亥（一九九五）年虛齡六十九歲。

甲木生於午月，地支午戌會火，時落巳火，天干透丙丁，是為傷官命。

女命傷官為忌，傷官傷夫，婚姻不美。甲木以金為官星，烈火熔金，剋夫。大運庚戌，官殺運，夫婿還在。五十五歲，交入亥水運，官星既受火剋，又被水泄，剋泄交集，夫亡。

傷官、食神是女性的子女，食傷為忌，子女不孝順！內心極其痛苦。官星是媳婦，傷官強，與官星對抗，婆媳關係差。

夫亡後，跟大仔去了澳洲，大仔和媳婦不孝順，要她自己煮自己食。細仔經常飛外地公幹，亦沒有時間照顧她。

她共有兩仔一女，丁是女，丙是細仔，午是大仔。

午火大仔，旁邊是日支戌土，是午火的傷官。傷官能生財，所以，午火大仔能結婚。

	日元		
●	●	丙	丁
●	戌	午	●

午火大仔身強，以財為喜神，愛財愛妻，重妻而輕母。

丙火細仔至今仍未結婚，丙火坐下是午火劫財，右邊是年干丁火劫財。左邊是日干甲木偏印。比劫偏印皆不利財星，身旺無財，何來姻緣？

日元		
甲	丙	丁
	午	

她本人十分孝順母親，因為傷官強，甲木弱命，以水（印）生身調候為喜。當她移民澳洲時，背着她不良於行的母親一起去。其後，母親死在澳洲。

從命理上説，她不應該去澳洲，因為，本命以火為忌，澳洲是南半球，南方屬火。

她的面相懸針破印，主老年孤獨。

突然死亡的議員

	辛	巳
	癸	巳
日元	己	卯
	戊	辰

大運：

8 壬辰　48 戊子
18 辛卯　58 丁亥
28 庚寅　68 丙戌
38 己丑

他是一位很有名望的議員，他的突然辭世，大家都為他惋惜！

己土生於巳月，年支也是巳火，時柱戊辰，天地皆土，強土命。以年干辛金食神生月干癸水為用。

以食神為用，又透干，有名氣。

木能疏土，也是喜神，木是官星。

八歲壬水財運，身強可任財，出身好。

十八歲辛金運，嶄露頭角，開始有名氣。

二十三歲卯運，殺星，學業有成，開展事業。

二十八歲庚運，傷官，泄秀，名聲更響。

三十三歲寅運，寅卯辰會木局，官局，被委任為議員。

三十八歲己丑運，己土劫財本不吉，但土能生金用神，用神未受損。丑巳拱酉，使辛金有根，名氣更盛。

四十八歲戊運，戊與月干癸化火。巳月火旺，戊癸成化，戊癸化火剋辛金，用神受剋！

在一次聚會後，突然昏迷，搶救無效，辭世。

辛是金，主肺、呼吸，辛金被剋，突然昏迷窒息。

忌金的金飾富商

丙子
己亥
日元 丙辰
戊子

大運：
4 庚子
14 辛丑
24 壬寅
34 癸卯
44 甲辰
54 乙巳
64 丙午
74 丁未

他的名字，在本港無人不識，是有名的金飾商人，他經營的金鋪到處可見。

有趣的是，他的八字裏並沒有金，並且，金是他的忌神。

丙生於亥月，天寒水冷，地支亥子會水，子辰會水，一片汪洋，水為忌，金能生水，金也是忌神。

戊己土出干制水，不過，戊己土都沒有根。

年干丙火幫身，可惜丙自坐子水，又泄於己土，無力。

這樣的一個八字，現在成了富商，全靠後天大運。

丙火弱命，當以木印生身和火比劫幫身為喜。二十九歲入東方木運，接下去是南方火運，除辰土運外，一路都是喜用大運。

原局無金，亦忌金。五行有缺，五氣不流通。大運生旺身後，可用金，金轉忌為喜，用金則使五氣流通，開金舖，經營金飾，大發致富。

離婚的玄機

		日元	
戊戌	丙辰	壬申	甲辰

大運：

7 乙卯	17 甲寅	27 癸丑	37 壬子
47 辛亥	57 庚戌	67 己酉	77 戊申

這個女命在一九九三癸酉年離婚。

一望而知，殺強身弱。壬水生於辰月，辰的五行是土。命中戊、戌及二辰共四土。丙火偏財又生土殺。甲木食神泄壬水。壬水大弱。

官殺為忌，丈夫是忌神。

十七歲前行乙卯，十七至二十六歲行甲寅，都是傷官食神運，驟眼看，食傷與官殺兩停，其實，仍是命中殺強。

年支與月支戌辰沖，殺沖，婚姻不穩，可以批一句「早結分」，就是早結早分（早結婚會早分手）。

每一柱約管十五年，那麼，年柱和月柱是三十歲前後。

她在一九九三癸酉年離婚。

為什麼是癸酉這一年離婚？一經道出玄機，就會覺得八字十分玄妙。

癸酉年，命中的殺星完全沒有了。是什麼一回事？

癸酉年，癸與年干戊化合，戊癸化火，酉跟年支戌合半金局，與月提辰，酉辰合金；與時支辰，酉辰合金，一下子所有的殺星全部轉化了，沒有了。

流年年支酉又與大運丑半合金局。

酉戌金，酉辰金，酉辰金，酉丑金，眾多金（印）生身，由弱水變成強水，於是，拿出勇氣與丈夫離婚。

只有七歲小孩般高

他只有七歲小孩般的高度，他是我八字班的學員，我在班上公開為學員批八字，他舉手說出自己的八字。

	大運：	
癸巳	7 辛酉	47 丁巳
壬戌	17 庚申	57 丙辰
日元 辛亥	27 己未	67 乙卯
癸巳	37 戊午	77 甲寅

一九五三年出生，甲戌（一九九四）年，虛齡四十二歲。

他雖然矮人一截，但是並不自卑，好學不倦，敢於發問。

辛金生於戌月，戌內藏辛金，年支時支兩巳內藏庚金，辛金有根，並得月提的戊土生。不過，天干二癸及一壬及自坐亥水皆泄其氣。年支時支兩巳火。這是一個辛金弱命。

七歲入運，七歲前行月柱壬戌運。壬水乃泄其氣之忌神，七歲前生病，從此，身體不再長高。

木主筋骨，甲木藏於亥中，被時支巳火所沖。木不透干，筋骨不健全，不長高。

至今（一九九四甲戌年）仍未有姻緣。木是金的財，也就是他的妻星，甲木藏亥中，被時支巳沖破。要待大運、流年有木透出天干才有桃花運。觀其大運，要到六十七歲才是乙卯、甲寅運，太遲了。

四十七歲丁巳運，丁與月干壬合而化木，會有機會。

現行午火運，午合日支亥水，合則有情。乙亥（一九九五）年，乙木透干，有機會。

他說，甲戌（一九九四）年乙亥月有人介紹女朋友給他。

我祝福他乙亥年心想事成。

拍檔被殺

戊寅
乙卯
日元 辛酉
辛卯

大運：
42 庚申
52 辛酉

一九九〇庚午年，這位一九三八年出生的男子來算命。

辛金生於卯月，乙木透干，是為偏財格。月柱乙卯天地皆木，地支還有寅（年支）和卯（時支），木強，財強。

強財破印。年干戊印被破。

這個八字實在只有金木對戰，缺乏通關之神。無火泄木生土再合生金，金無火剋制，亦無水泄金生木。

原局是木強金弱。但是，這個強弱並不是永恆不變的。

五十二歲入辛酉運，一切轉變。大運天干辛金破去原局的天干乙，大運地支酉沖去月提及時支卯，餘下年支寅。

到了一九九二壬申年，申把寅也沖掉，那麼，全局的木（財）不見了。只餘下金，全局皆金。

有云：伏吟反吟淚淋淋，不死自己死他人。辛酉大運與日柱辛酉伏吟。

金局的財被大運、流年比劫星剋盡，會發生什麼事呢？

財為妻，剋財就剋妻。

其後，他的妻子驗出患上癌症，離開他去了澳洲。

除了妻子外，就是他的拍檔，他是辛金，他的拍檔也是辛金，就是時干上的辛金。

辛酉運，中年，全局皆金，無剋，無泄，這樣是膨脹到了極點的現象。

辛酉運，與他的日柱辛酉相同，表示這個運內，他仍然存在。所以，我叫他留意他的拍檔會出事。

全局只有金，就是比肩劫財為忌，申年是庚年，庚是辛的劫財。

一九九二壬申年，農曆申月，他的拍檔被劫殺。

匪徒把他的拍檔綁住，裝在麻包袋裏，吊在西環海傍。水漲，水淹過麻包袋，把他的拍檔溺斃，當發現時，已經全身發漲。

預言應驗

「師父，我已經過了一劫！」高興的聲音像銀鈴般清脆悅耳。

她是我八字班、風水班的學員。一九九五年九月一個晚上，上課前，她穿着紅色上衣，戴着紅帽子走進我的辦公室，滿臉笑容的告訴我所發生的事。「師父，一九九三年十一月你預言我在一九九五年申月有一劫，已經應驗。」

老實說，我早已經忘記。因為每天看相批八字都作預言。

她的八字是：

丁酉
壬子
日元 己丑
癸酉

一九九三年十一月在一堂八字課上，分析了她的八字，説她一九九五年農曆七月有一個關口。

己土生於子月，天寒地凍。地支兩酉金，丑酉半合金局，天干透壬癸。是一個弱土命。

天干丁火暖身生身為喜，可惜丁壬合化木，印化殺。身弱忌殺。

子丑合土，己土尚有一點根。

全局就只靠日支的丑土。

丑土是她姐姐，姐妹情深。她得到姐姐的照顧。

一九九五乙亥年甲申月，她突然神經失常，鬧事，驚動鄰居報警，被警察送進醫院，經診斷發現在腦裏有瘀血積存成塊。

做了手術，清除瘀血，康復了。做腦部手術剃去頭髮，所以戴帽，紅衣紅帽，因為火是她的用神，紅色屬火。

為什麼預測她在乙亥年申月有關口呢？

因為，亥年，亥子丑會北方水，把原局的一點丑都化掉。申月，申子會半水局，申酉又是半金局，金局生水。水旺土崩。

幸而，乙亥年甲申月，甲乙木透干生丁火再生身。甲己合土為喜，才渡過這一關。

丑是她的姐姐，丑跟時支的酉合。酉是丑的食神，是丑的兒女。丑與酉合，姐姐情向兒女。她出事的時候，是她的姐姐剛生了孩子，不在身邊照顧她。

●	●	己	癸
●	●	丑←姐姐	酉

好女三頭瞞

姐姐陪她來批命。我一看她的八字，說，請你的姐姐到外邊去等好嗎？

「我們姐妹情深，我的事她都知道，但說無妨。」

既然她這樣說，我就從命了。「你的三個男人該如何妥善安頓？」我問。

此言一出，她立刻紅了臉。

她身旁的姐姐用驚異的目光瞪着她。

「家姐，你先出去。」

此時，家姐不想出去了。

「你出去先啦，等陣我再同你講。」

雖然家姐極不願意，終於也出了辦公室等候。

癸 己 癸 甲
卯 未 丑 子

日元

大運：
29 壬戌
39 癸亥

癸水生於未月，土強。地支一丑，天干一己。日支丑與時支子，子丑合土。全局土多土強。

土強為忌。土是官星、夫星。土為忌，官星為忌。丈夫，生命中的男人是忌神。

身弱忌官殺，身強可任官殺。

二十九歲壬運，劫財幫身。一九九五乙亥年，亥與地支會亥子丑水局，又與卯未會亥卯未木局，乙木透出。

這樣一來，便是身強傷旺。

壬水、亥子丑水局幫身，是為身強。

乙木、亥卯未會木局食傷旺。

女命傷官強旺，會做出傷害官星（丈夫）的事。例如，會要求離婚，會送綠帽給丈夫。

身強可任傷官之泄，所以本身無礙。

亥與地支兩合，合出兩個情夫來。

原局月提，日支丑未相沖。亥年，亥子丑合，亥卯未合。合而解沖，把丑和未兩個土星釋放出來。土星、官星殺星，兩個情夫。

「其中一個情夫是屬蛇的？」

她點點頭。

「另外一個情夫是屬雞。」

她驚異地點頭，把眼前的我當神仙。

「壬癸兔蛇藏」，她是癸水命。亥年，亥巳沖，沖出巳來。

但是，由於亥巳沖，所以，這個屬蛇的男人使她很煩惱。

另一個男人屬雞，酉合入丑（日支夫妻宮）。酉丑合半金局，金為印，身弱生身為喜。所以，屬雞的一個情人使她很愜意。這個男人很聽話，很合她的心意。

連同她的丈夫，就同時有三個男人。

本命有己、丑、未三殺星。身強可以任官殺。她運入身強，一下子有三個男人。

男同性戀者

壬子
癸丑
日元 戊辰
甲子

這是一個男同性戀者的八字。男同性戀者的稱號是同志。近年，同志有成為潮流的趨勢。從八字上，如何分析是「基」的？

在八字裏，同類就是比肩、劫財。在什麼情況下喜愛比肩、劫財呢？就是身弱，無印，或印不能用，只能用比肩、劫財，這樣的八字，有「基」的傾向，尤其是以比肩為喜，比肩就是同性。

以上一個八字，戊土生於丑月，全局無印。天寒地凍，子辰半會水局，天干透壬癸水，財強無印。甲殺剋身，以比肩劫財為用。

離婚不成

她希望跟丈夫離婚。我說，離婚不成功。

	己	丑
	丁	卯
日元	乙	巳
	丁	亥

大運：

7 戊辰
17 己巳
27 庚午
37 辛未
47 壬申
57 癸酉
67 甲戌

乙木生於卯月，時落亥，亥卯半會木局。春天木旺，這是一個乙木強命。

強命宜泄，以透干二丁食神泄秀，食神生財為喜，食神通根於巳。己財坐丑，皆有根，用神有力。

以火土為用，忌水木。身旺可以任財官，一路行火土運，順境。

四十七歲交壬運，與天干兩丁火食神化合，丁壬合化木，月提卯木，成化。喜神化忌，生財之食神化為劫神「比、劫」。乙亥年，又再一個比肩，地支亥又與卯合，亥卯半會木，半比局。於是，成為「群比爭財」，一下子，幾檔生意虧蝕而執笠。

本命以食神生財，財生官。現在，財被劫，無財生官，與丈夫的感情出問題，想與丈夫離婚。

原局亥巳沖。乙亥年，再來一亥，兩亥沖一巳。「巳」是夫妻宮，巳中藏庚金是官星，是為星宮同沖，是有離婚之象。

四十七歲後入西方金運，申酉戌，夫星健在、強旺。夫星強可以任妻財，丈夫有了外遇。這外遇是哪裏來的？是壬運，丁壬合木。木是乙木的比星，即另外一個女人。乙亥年，乙木透干。其夫另外有了女人。

但是，本命只透食神，不是傷官，而且官星不透，所以，只有離婚的意圖、迹象，而沒有離婚的結果。

丁壬合化木是壬運丑年。申運，申與卯合化金，全局金強，夫強。本命以食神丁火制殺，食神是子女。到時，她會依靠子女。

該不該結婚

丁酉
癸丑
日元 丁未
庚戌

大運：
1 甲寅
11 乙卯
21 丙辰
31 丁巳

一九九五乙亥年，她來找我算命。「我該不該跟他結婚？」她問我。

「你懷了孕？」我問她。她點頭。

「這是你第二段婚姻？」她點頭。

「你第一次結婚在戊午年，一九七八年，可是，己未，一九七九年就喪夫。」

她呆望前方，當年的慘劇又浮現在她的眼前。

丁火生於丑月，天寒地凍。地支戌未丑三土泄身。食傷生旺財酉、庚，財生天干癸殺，癸水攻身。丁火弱命，以年干丁火暖身為用。

木生身亦喜。以木火為用。

身弱殺為忌。殺為夫星，殺忌，夫忌，婚姻不美。

戌丑未三刑，刑入夫妻宮，也使婚姻不美。三刑，有非離即死之象。

二十一歲，丙火運，喜神運，丙火助身，身強可以任官殺，戊午年結婚。

翌年己未年，天地皆是食神，食神制殺太過。天干己土掩癸水。未沖丑，連藏在丑中的一點癸水也沖掉了！夫星絕，夫亡。

二十一歲早年是丙辰運，地支辰戌丑未沖癸水夫星入辰墓。入墓，有死亡的徵兆。

當年，其夫的妹妹（小姨）被強姦，疑犯被捕，揚言要殺其妹全家。其後，疑犯獲准保釋，果然，斬死其家公、家婆、小姨和她的丈夫。

一九九五年（乙亥），三十八歲入巳火運，巳火幫身，身強可以任官，與人同居。

巳火生旺土星。土，食傷，子女星，她懷了孕。她感到苦惱，未知是否該結婚。

苦惱並非因為曾經喪夫，而是現在同居的男人是否可以信任，可以付託終身？

這個男人曾經離婚。

巳運，巳酉丑會金局，是癸水殺星的印，「印旺財絕」，這個男人離婚。

不過，巳酉丑金局生旺癸水，癸水殺星身強能任財。所以，這個男人又可以有女人。除本命還另外有一個女人，就是年干上的丁火。

按次序，先是年干，才到日干，所以，男人先識年干那個丁火，再識她。

丁癸丁

巳酉丑金局生旺癸水，乙亥年，乙木生旺兩丁，身強財旺，所以，癸水有兩個女人。

現在，兩個都沒有名分。

原局官殺是忌神，夫妻宮戌未丑三刑，婚姻不美，還是不正式結婚為佳。是我的意見。況且，這個男人並不專一。

她的八字殺強身弱，到行比劫運時，她的男人行財運。

接下來，她行南方火運，比肩劫財幫身，她本人好運，她的男人搵到錢。

八字中有戌、未、丑三土。丁火日元，土是食傷，是子女。命中有三子女。

什麼時候生仔，什麼時候生女，要看身強或是身弱。身強時生仔，身弱生女，是我的經驗。

她三個子女會是三個父親。為什麼？因為三子息星（食傷）三刑——戌、未、丑三刑。

她跟前夫生的女兒已經十七歲。

「你的女兒仍在讀書，不過，今年跟人家同居。」她點頭。

木是土的官殺星。乙亥年，乙透干，地支亥與未拱合，土（兒女）的官星來合，所以，有了同居男人。

大運巳，巳酉丑合金，金是土的食傷，食傷表示讀書。所以，她的女兒仍在讀書。

「提防你的女兒也會懷孕。」

因為巳酉丑是土（女兒）的食傷，食傷代表子女。

孖胎

甲午
甲戌
日元 戊申
乙卯

這個女命生了雙胞胎。

生雙胞胎首先要身強。若然本命弱，也要大運逢印比劫，身強方可。本命戊土生戌月，午戌半火印局，戊土強命。

戊申日柱，申庚金是戊土食神，子息星。申與時支卯化合。申是庚，卯是乙，乙庚合而化金。

申和申卯化的金，就是雙胞胎。

要仔唔要公

時代不同，現代婦女獨立性強。有一種女人的行為是以前的社會所難以想像的，就是要仔唔要公。是什麼意思呢？就是找一個男人跟自己生一個孩子，她養了這個兒子，但是卻不結婚。

這樣的女人，她們的八字有什麼特點呢？

共通的特點是：身強官殺弱而喜食傷。

身強官殺弱，男人身弱不能任財。女人身強官殺弱，未能有正式丈夫。

身強喜泄，食傷泄秀為宜，喜愛子女，所以，喜歡生仔女。仔女是食傷，是喜神。

所以，要仔唔要公，不結婚但生仔，養仔。

以下的八字是一個例：

戊戌
己未
日元 己丑
甲子

全局比劫多而旺，身強宜泄，喜食神傷官。

官星弱，原甲官坐子印。可惜，子丑合土化財（官星的財，即是本命的比劫）。

官星是財多身弱，不能任財。

「妻」八字看「夫」婚外情

剛剛分析完一個強金剋妻的命例。有一位男學員舉手，說出一個八字：

	戊申
	庚申
日元	庚申
	辛巳

一望而知，這是一個強金命。

「是你的八字？」我問。

「是我太太的八字。」他回答。

我即時明白了。他是害怕這樣強金的太太剋他。如果真的是剋夫，怎樣辦呢？當然及早離婚。我猜他是這樣想。

「會否剋我……？」

我詳細分析——

這個八字六金一土，土又生金，只有一個巳火，但是巳申化水，巳火無力。這是一個從旺格。

從旺格喜強旺，以土金為用，印比劫為喜。她共有十兄弟姊妹。

一九九一辛未年結婚，辛是金，未是土，在喜用年結婚。

巳火為官星、夫星。在她的八字裏，丈夫是財多身弱。

甲戌年，甲木生旺巳火，官星強可以任財，跟一位女職員搞上婚外情。

原局巳申化水，化成傷官。乙亥年，亥水亦是妻子傷官，被妻子發現了已有一年的婚外情，要求離婚。

母親兩弟聯手相害

一九九〇庚午年，筆者到某位前政府官員家中作客，席上一位朋友要我替她看看八字：

庚寅		大運：
丁亥		26 甲申
日元 乙丑		36 癸未
庚辰		46 壬午

「你的母親和兩位弟弟聯手來對付你。」我喜歡一針見血，直截了當地説，不喜歡説廢話。

「是呀。」她當然不開心。「公司我是有股份的。但是，我是外嫁女，母親跟兩個弟弟合謀要奪去我的股份。」

她和母親、弟弟的關係是原局的，是一生一世的，被我一眼看出來。

乙木生於亥月，水旺木相，亥寅又合木，喜火暖身，以水木為忌。若果說乙庚合金生於亥月，水寒金冷，同樣以水木為忌。

以乙木來看，水是她的母親，木是她的弟弟。

月提亥水就是母親。寅木是一個弟弟；寅亥合木，另一個弟弟。水木是忌神，母親和弟弟都是忌神。

寅與亥合，合就是聯合，忌神聯合。就是母親（亥水）和兩個弟弟（寅、寅亥）聯合。

如何看出是為了財？全是丁火。

乙木生於亥月，天寒地凍，寒水不生木。要以丁火暖水生木，丁火為用神。

母親亥水同樣寒冷，同樣要丁火暖身。丁火是亥水的財。母親要爭奪這丁火。母女之間無感情，母女講金。

丁火是她的用神，用神被奪，就是被害。

事情會發生在三十五歲前，因為是年支和月支相合。年柱月柱大約是三十歲至三十五歲前後。

四十一歲大運入未。燥土制水，而溫水，亥未合木可以扶旺本身，情況會有改善。

官非・坐牢

犯官非、坐牢並不一定是什麼隔角煞，當走到忌神運之時，也會坐牢。

庚子
己丑
甲子（日元）
甲子

大運：
1 庚寅
11 辛卯
21 壬辰
31 癸巳

這個男命在一九九一辛未年被捕，判刑坐牢，一九九五乙亥年放監。

全局無火，甲木生於丑月，天寒地凍，全無一點暖氣。地支三水一土，水多為忌，忌金水。

丑月土強，月提己丑，天地皆土，土為木的財，甲木乃財多身弱，土財乃忌神。

三十一歲辛未年，入癸水運，水泛木浮。行印運，無事做，被囚禁在牢獄中，有什麼事做呢？行印運「無野做、懶、舒服」。

強印，印旺則財絕，因財惹禍。他北上打劫、被捕、判刑。

乙亥年正月出獄。乙亥年，亥沖大運巳，亥子丑會北方水。巳被亥沖，又被亥子丑水局所掩，巳火熄滅。

巳藏丙戊庚。甲木日元，戊是偏財。偏財為父，戊土是甲木的父親，財亦為妻，所以，戊土亦是甲木的妻子。

亥沖巳，亥藏壬甲，亥中的甲木剋絕巳中戊土。

他出獄後，其父親和妻子皆患了病，經診斷，都患上癌病。妻子是末期骨癌。

原命月柱己丑，甲木是財多身弱，先前行東方木運，助強甲木，身強可以任財。但是木運走完，轉入南方火運，食傷生旺財，身弱不可能任財，財離，這樣，父親、妻子都患上絕症。

東窗事發

八字課上，即席為同學批八字。一位男同學說出他的八字：

		大運：
	甲午	9 癸酉
	壬申	19 甲戌
日元	庚子	29 乙亥
	戊寅	39 丙子

我首先分析他的強弱和用神——

庚金生於七月，庚祿在申，金旺。時干透戊土生金，是強金命。以食傷生財為用。以財為用，愛財愛妻。身強可以任財。

三十九歲入丙火運，火是妻財的傷官，妻子行傷官，麻煩。

「老婆會要求離婚。」我說。

全班同學都等着他的回應。他否認：「沒有離婚。」

「你另外有一個女人。」我繼續說。他默認。

「去年，你太太已經知道，是不是？」

他點頭。「她說過要跟我離婚。」他終於承認。全班起哄。

「她只是講，並無離婚。」他爭辯。

我說：「你跟外邊的那個女人已經有一段長時間。」

他承認，問：「師父，如何看得出？」

我便逐一解釋——

二十九歲，乙亥運。乙來合庚。本命身強可以任財。財來相合，財色兼收。

去年東窗事發。為什麼？

局。

因為，大運丙火，老婆行傷官。甲戌年，年支戌與原命地支合寅午戌火局，傷官

甲是偏財，偏財就是外面的女人，甲戌年，甲坐下戌土。戌土是土地，樓房。這個甲的女人會有一層樓，就是本命買給她的，可是，事機不密，被太太發覺了，於是，太太吵着要離婚。

乙亥年（一九九五），乙庚合金，亥寅合財，這個女人仍然在身邊。

丙子年（一九九六），丙火透干，上半年，妻子行傷官，事情會爆發。

「妻子跟我沒有性關係。」他直言不諱。

妻子行傷官，怎會跟你相好呢？

「今天上午，你還跟外邊的女人在一起。」我推算。

「是。」他承認。

為什麼呢？同學們都想知道我是如何推算的。

「因為，今天是乙酉日。」我解釋：「上午乙，乙是庚的財，乙庚合。上午見面，下午分開，因為下午酉，庚金行劫財。」

「昨日甲申日，晚上戌時，會寅午戌，你擁着她在床上。」

「師父，你什麼都知道！」

「這就是八字奧妙之處。」我說。

怎樣把她留住

一位男士拿着他的二奶的八字來問，怎樣把她留住？

庚戌
丁亥
日元 癸巳
乙卯

大運：
丙戌 乙酉 甲申 癸未
壬午 辛巳

這是一位貌若天仙的蘇州姑娘，到香港來做二奶。但是，其男人不讓她上街，怕她溜了。她是大學生，並且長了一副明星相。其夫希望把她留在身邊，費煞思量。

癸水生於亥月，天寒地凍，以火暖身為要，木能生火亦喜。

火為財，財為喜，愛財貪財。木生火，木是水的食傷，是為食傷生財。

土是夫星，可惜土晦火，故此不喜土，不喜愛丈夫。戊土來，戊癸化火為喜，己土來只能晦火且混水，不喜。己為殺、偏夫。本造不喜偏夫。

戊土藏於巳中（丙戊庚），但是亥（月提）沖巳，既沖夫星戊土，也沖夫宮，星宮同傷，不能做正室，成為二奶。

如何把她留住？可以叫她生孩子，她不肯生，可以用金錢利誘。生一個獎一百萬，生一個送一層樓。

因為她愛火（財）而食傷能生財，食傷就是她的子女。所以，留住她的最佳辦法是用錢叫她生仔。

藕斷絲連

她跟丈夫離了婚，但是，仍然有跟丈夫相聚，離而不絕，離而有聚，為什麼呢？我們從命理去找找原因。

	乙未	大運：	
	己卯	5 庚辰	45 甲申
日元	辛巳	15 辛巳	55 乙酉
	丙申	25 壬午	65 丙戌
		35 癸未	75 丁亥

辛金生於卯月，木強金囚。卯未半會木局，天透乙木，木為財，這個女命是財多身弱。以土金為用，偏印己土被乙卯所剋，時支申金為丙所剋，且申與巳合，巳申合化水，水為本命的忌神。

辛金弱命，以泄為忌，水泄金氣，且為傷官，傷官生財，水去生旺木。財多身弱之命，財為忌神。

火為官星，火可以泄木之氣，所以，火算是喜神。可惜的是，丙正官在辛日元的身旁，丙辛合而化水，合化傷官。官星化為忌神，已是原局的凶兆。既然與正官化合而成忌，便有不喜愛丙正官的命理因素。

丁火為殺，丁火能泄木財忌神之氣，生土印之身，且丁火又不與辛化為水，所以，辛金本命喜愛丁火，丁火為七殺、偏官。

女命以正官為夫，偏官為情人。

本命喜殺不喜官，是命理玄機。

十五歲入南方火運巳午未。火為官殺，就是行夫運。結婚生仔。可是，行官殺運，就是丈夫行劫運，劫什麼？劫財。丈夫的財就是妻，所以，丈夫行此劫運，劫就是她。

「巳午未有丈夫，可是……」

貌合神離，聚少離多，各有各忙，丈夫無理她。

三十至三十四歲在家照顧兒子，丈夫則出去「威」。

三十五歲入癸未運，癸水是辛的食神，丙火見癸水，有如墮霧蔽日，癸水遮蔽了丙火。於是，本命出外「威」，並且做出了傷害丈夫的事，在外間有了情人，提出離婚。

一九九二（壬申）年，壬為傷官，申為劫財，劫財生旺傷官，於是離婚。

「申金比」旺辛金，身旺行傷官，肆無忌憚。接着一九九三（癸酉）年是食神、比肩，同樣不利婚姻。

至一九九四（甲戌）年，甲己合土生身，戌與卯合化火，化為官星，另一男人出現。

一九九五（乙亥）年，亥巳沖，沖出巳。巳中丙火，又是另外一個男人。

跟丈夫離了婚，但是仍有來往相聚。為什麼？

因為，原命丙辛合。合則聚，聚難離。丙辛合而化水，是忌神，所以，會離婚。但是，丙辛合是法則，離而聚，似是無情又有情，相聚一為見兒女，二為金錢。辛為丙的財。因為工作上來往。財亦代表工作。食傷為忌的她，生了孩子後，婚姻出問題。

五十五歲乙酉運，乙來沖辛，使其不能合丙。至此運便與夫不再聚了。

神經

「神經」是廣州話，意思是精神出了問題，是精神病。以下的女命是本港青山精神病醫院的病人。

丙午
丁酉
日元 甲午
乙丑

大運：

7 丙申	47 壬辰
17 乙未	57 辛卯
27 甲午	67 庚寅
37 癸巳	

甲木生於酉月，秋天金旺，木死於秋。本命生身只有丑中藏的一點癸水。不過，丑午相害，癸水受傷。乙木（時干）幫身，但是，乙也自弱。

反觀命局中年柱丙午、月干丁、日支午皆火。木生火泄，泄身太過。

金剋木，火泄木，本命是為剋泄交集。

月令金強，攻身為忌，本來有火可以制金，但是，火旺又木焚。

若然行水運年，水沖去火，無火制金，金就直劈木。

這樣一個命，真是頭痛。水能生身，但是水又掩火，火被制，金又剋木，不知如何是好？

甲木以酉為正官、夫星。本命夫星（官殺）為忌。命局中火旺，火為傷官，傷官見官，是剋夫命。

四十七歲前所行南方火運（巳午未），傷官運，夫星（金）一現，即被火（傷官）所剋。

現行甲午運，伏吟日柱。有云：「反吟、伏吟，啼淚淋淋！」

一九九五年（乙亥），亥與午合，亥丑拱子，水旺制火。火被制，金被放出，金劈木。這一年入了「青山」。

一九九六年（丙子），子午沖，子酉破，子丑合，地支二沖一破，子丑合為土（財）亦是忌神，因為財生官旺，官旺攻身，仍在醫院，難望好轉。

子息新論

什麼時侯生仔？什麼時候生女？仔和女的數目以及仔女是否孝順？能否成長出人頭地？這些都是八字命理研究的課題。

以下的一組口訣經常被人提及：

「長生四子中旬半，沐浴一雙保吉祥，冠帶臨官三子位，旺中五子自成行，衰中二子病中一，死中至老沒兒郎，絕中取養他人子，入墓之時命夭亡，胎中頭女有姑娘，養中三子只留一，男女宮中仔細詳。」

什麼是男女宮呢？就是兒女宮，是時柱的地支。看時支是日元的十二長生宮的哪一宮，依照口訣便知仔女數目及壽夭。

我並不用這個口訣。

為什麼？因為不準確，方法也死板。

那麼，該如何去判斷有關子女的問題呢？我用的方法同樣是強弱喜忌。

不論男女都要身強才能有子女。女命以食神為女兒，傷官為兒子；男命以正官為女兒，七殺為兒子。

食神、傷官乃係泄身之物，若然身弱，如何能承受食傷之泄？所以，女性要身強方能生產子女。

正官、七殺乃係剋身之物，若然身弱，如何能承受官殺之剋？所以，男性要身強方能有兒女。

子女星強，生仔；子女星弱，生女。

子女是否孝順，要看子女星是否喜用，子女星是喜神，子女孝順；子女星是忌神，子女不孝順，父母為子女擔心憂慮。

子女何時成材？要從子女星在命中的強弱，定喜忌。子女星是喜用運，則子女成材，否則，子女成長受阻。

子女星受沖剋，子女會有災禍，受刑剋而無救，則有性命危險。

（例一）

時	日元	月	年
甲	丁	乙	戊
辰	酉	丑	戌

大運：
6 丙寅
16 丁卯
26 戊辰
36 己巳

這位丁火男命生於丑月，金寒水冷，地支土金，年干戊土，靠甲乙正偏印生身，本命身弱。喜木火，忌土金和水。

天干並不怕水，因為壬水會合丁，丁壬合木；癸水會跟戊化，戊癸化火。

地支忌水。子水來子丑合土，子辰半會水；亥水來，亥丑暗拱子。

天干忌金，庚金來合去偏印乙，乙庚合而化金。金為財，身弱忌財。辛金來，乙辛沖，又把乙木偏印沖去。

木火為喜。本命結婚和生仔都在木火運或流年。

既有正偏印生身。早運行木火運，使身由弱變強，身強能任泄，以食神、傷官為喜，所以，讀書有成，在美國完成碩士課程。

一九九四甲戌年，甲木生身，戌來沖動子女宮（時支）辰，妻子懷孕。

一九九五乙亥年，乙木繼續生旺，身強能任官殺。春季妻子生了一個男孩。

（例二）

乙亥
壬午
壬午　日元
甲辰

大運：

9 辛巳	19 庚辰	29 己卯	39 戊寅
49 丁丑	59 丙子	69 乙亥	79 甲戌

這位男士應該有六個子女。如何計算？

男命以官殺為子女。地支辰中戊土，午中己土（兩個午），共三個土星是壬水的官殺。

午與亥合，於是亥又歸類，水亦為子女。亥中壬水，天干連日元共兩壬。三十三水，便是六個。

	⑥	⑤	
●	壬	壬	●
辰	午	午	亥
戊①	己②	己③	壬④

實際是生了五個。第一任妻子生了三個，第二任妻子並沒有子女，第三任妻子生了兩個。第一任妻子是月提的午火，生了三個。

	③	②	
●	壬	壬	●
●	●	午	亥
			壬①

第三任妻子是日支的午，生了二個。

●	●	●	●
辰	午	●	●
戊 ④	己 ⑤		

其中三個子女學業有成，戴四方帽。

	③	②	
甲	壬	壬	乙
●	●	●	亥
			壬 ①

為什麼？因為這三個子女皆有食傷。食傷表示讀書。

一、亥（年支）的傷官是乙（年干）
二、壬（月干）的傷官是乙（年干）
三、壬（日干）的食神是甲（時干）

（例三）

	丙申	大運：7 乙未　17 甲午　27 癸巳　37 壬辰　47 辛卯　57 庚寅
	丙申	
日元	**戊辰**	
	辛酉	

這是一個女命，戊土生於申月，地支兩申皆為食神，辰酉又合金，時干透辛傷官。與天干兩丙火生身，可惜丙火無根，這是一個戊土弱命。

弱命忌泄，食傷為忌。

食傷為子女星。身弱，只生一個兒子。

兒子不同住。由她的母親（兒子外婆）照顧，跟外婆住。為什麼？因為丙辛合。丙就是外婆。

（例四）

女命傷官為忌，既離婚，亦為兒子擔心。

		大運：		
	甲午	7 丁丑	47 辛巳
	丙子	17 戊寅	57 壬午
日元	乙巳	27 己卯	67 癸未
	辛巳	37 庚辰	77 甲申

男命，乙木生於子月，寒冷，喜丙暖身。命中丙火透干，支有兩巳一午，火多火旺，泄身太過，喜木幫扶。

卯運發迹，成集團總裁。

男命以官殺為子女。

	日元	
（女）辛	乙	
巳	巳	
庚（兒子）	庚（兒子）	

辛是女，庚是子，一女兩子。辛為陰，庚為陽，陰為女，陽為子。原局中月提是子月，是庚辛子女的食傷，子女聰明，可以讀書，因為行庚辰運，有比劫及印星扶生，身旺泄秀為喜。

原局乙辛沖，沖不聚，沖則動。女兒遠赴美國讀書。在庚運中，乙庚相合而化金，她的女兒有一男伴。

	日元
沖	
辛	乙
巳	巳
丙（男友②）	丙（男友①）

地支兩巳所藏的兩丙火是其女兒的男朋友。這是一個三角戀愛。兩個男朋友，其中一個是生意人，另一個是讀書人，如何看？

兩個男朋友的組合是：

乙巳＝乙丙（男友①）

辛巳＝辛丙（男友②）

其中①是乙丙，乙為丙的正印，印星表示斯文有禮，掌印，為學尚禮，打政府工之類。

②是辛丙，辛是丙的財，掌財者，做生意也。

其女兒比較喜歡做生意的一位，原因有二：其一，「近水樓台先得月」，因為「丙」（男友②）就在自己（辛巳）的腳下；其二，日干「乙」沖時干「辛」，有不穩之象，而「丙」（男友①）則在日柱（乙巳）之下，距離較遠。

跋

八字命理學是一項中華文化優秀傳統。一門珍貴的學問，它是玄學的一種，但是，並不是迷信。八字命理學是前人所創，已經有千多年的歷史，不同的時代，學問應該更新，添上新的理論、新的證驗、新的方法。我這本書能夠為八字命理學增添一點新的東西，是我的希望。

林國雄

子平八字命理（原名：子平命理八字新論）

作者

林國雄

編輯

圓方編輯委員會

美術統籌及封面設計

Amelia Loh

美術設計

Man / Charlotte

出版者

圓方出版社

香港英皇道499號北角工業大廈18樓

營銷部電話：2138 7961

電話：2138 7998

傳真：2597 4003

電郵：marketing@formspub.com

網址：http://www.formspub.com

http://www.facebook.com/formspub

發行者

香港聯合書刊物流有限公司

香港新界大埔汀麗路36號

中華商務印刷大廈3字樓

電話：2150 2100

傳真：2407 3062

電郵：info@suplogistics.com.hk

承印者

中華商務彩色印刷有限公司

香港新界大埔汀麗路36號

出版日期

二〇一三年七月第一次印刷

ISBN 978-988-8237-11-1

Published in Hong Kong